CB015648

ABAIXO A DEPRESSÃO!

ABAIXO A DEPRESSÃO!

Richard Simonetti

ISBN 85-86359-47-5

Capa:
José Policena

15ª Edição - Agosto de 2015
2.000 exemplares
38.501 a 40.500

Edição e Distribuição

CEAC
E D I T O R A

Rua 7 de Setembro 8-56
Fone/Fax (14) 3227-0618
CEP 17015-031 - Bauru - SP
e-mail: editoraceac@ceac.org.br
site: www.ceac.org.br

Dados Internacionais de Catalogação na Publicação (CIP)
(Câmara Brasileira do Livro, SP, Brasil)

Simonetti, Richard
    Abaixo a depressão! /Richard Simonetti. -
Bauru, SP : CEAC Editora,2004.

    1. Depressão mental 2. Espiritismo.I. Título.

04-0729   CDD-133.901

Índices para catálogo sistemático:
1. Depressão : Aspectos espíritas   133.901

Tristeza no coração é como traça no pano.
Camões

Estar triste é quase sempre pensar em si mesmo.
France

Se existe um inferno na Terra, ireis encontrá-lo no coração do homem deprimido.
Burton

Proíbe a entrada da tristeza em teu coração, mas se já entrou, proíbe-lhe a saída ao rosto.
São Martinho Dumiense

Os que estão ocupados não têm tempo para as lágrimas.
Byron

Há gente que procura a tristeza como se precisasse sofrer para sentir.
Paul Bourget

Tristeza não paga dívidas.
Ditado popular

SUMÁRIO

Aviso Oportuno

Caro leitor.

Para que você não se julgue ludibriado por estelionato literário ou propaganda enganosa, devo dizer-lhe que não há, nos trinta e um capítulos deste livro, nenhuma referência explícita às causas endógenas ou exógenas, físicas ou espirituais da depressão.

Faço isso deliberadamente.

As pessoas ameaçadas por esse que foi considerado o mal do século XX, e certamente o será deste, acabam enfastiadas com as incontáveis referências e abordagens sobre o assunto.

Se for o que lhe acontece, imagino que também esteja farto de prescrições médicas e, particularmente, dos insistentes e dispensáveis conselhos que todos têm para dar, e disso fazem questão, sobre nossas dores e dissabores.

Quaisquer que sejam suas origens, esteja certo de

que a "deprê", como dizem os jovens, sempre econômicos no vernáculo, geralmente instala-se a partir de nossas disposições íntimas e da maneira como enfrentamos os desafios da existência. Nesse particular, a experiência tem ensinado que o bom humor e a reflexão, o rir aliado ao refletir, fortalecem o ânimo e iluminam caminhos, permitindo-nos evitar ou deixar seus escuros abismos, marcados pelo desencanto de viver.

Não há depressão que resista ou se instale num coração risonho, plugado em cérebro disposto a justificar sua existência com o exercício da razão.

***

Não posso prometer que o dinheiro lhe será devolvido pela editora, caso não fique satisfeito com este "produto", como o fazem os agenciadores de vendas.

Estou certo, entretanto, de que há de sentir-se feliz desde já, ao saber que o dinheiro que investiu neste "medicamento" será inteiramente aplicado nos serviços assistenciais do Centro Espírita Amor e Caridade. Beneficiará gente paupérrima, que tem motivos de sobra para ficar deprimida.

Quanto ao mais, conforme ensinam os indefec-

tíveis manuais de auto-ajuda, pensamento positivo!
Nesse propósito, como reforço para enfrentar sere-
namente as contrariedades que alimentam a depressão,
diga, altissonante, a frase bem-humorada que está
numa camiseta que comprei em viagem pelo Nordeste:
"Xô aperreio!"

Bauru, dezembro de 2003.

Das baratas

Não era um modelo de dona-de-casa, meio para a displicência.

Não obstante, esforçava-se por evitar restos de alimentos ao léu e acúmulo de pratos e panelas por lavar, mantendo relativa ordem na cozinha.

Isso porque, como é próprio da sensibilidade feminina, guardava instintivo horror às baratas. Elas costumavam fazer incursões quando seu lado desleixado aflorava.

Então, literalmente, sapateava, espavorida, a gritar por socorro, como se ameaçada por monstros.

Depois, reclamava, indignada:

– Só queria saber por que Deus criou esse bicho indecente!

Em meio a um desses chiliques, o filho de sete anos, na sua inocência, tentou uma explicação:

– Será, mamãe, que não foi para você botar ordem na cozinha?

***

Bem, caro leitor, certamente não foi para isso apenas, mesmo porque as baratas são fósseis vivos.

Povoam o planeta há milhões de anos, muito antes do aparecimento do Homem, ou que existissem donas de casa às voltas com elas.

Terá sido um cochilo divino, um erro de planejamento?

Considerando que o Criador "*é a inteligência suprema do Universo, causa primária de todas as coisas*", como está na questão primeira de *O Livro dos Espíritos,* certamente não agiu como mero aprendiz de feiticeiro ou um doutor Frankenstein a dar o sopro da vida a aberrações.

Obviamente, o Eterno tinha um objetivo ao colocar em nosso planeta esse famigerado ortóptero, da família dos blatídeos, vulgo "barata".

Quando não benéfico estimulante da limpeza na cozinha, e outras funções menos conhecidas, temos nele um dos estágios pelos quais passa o princípio espiritual em evolução, no desdobramento de experiências necessárias ao seu acrisolamento, a caminho da razão. Não fique perplexo, leitor amigo. É isso mesmo! Provavelmente já andamos por lá, no reino das baratas, em priscas eras, quando éramos apenas um projeto de Espírito, tanto quanto animamos multifários seres, no reino vegetal e animal, até que começássemos a exercitar o bestunto.

***

Ainda que desconhecendo, talvez, tais meandros da evolução anímica, Franz Kafka (1883-1924), o genial escritor tcheco, descreve, no livro *Metamorfose,* a aterradora experiência de um homem que se transforma numa barata.

Numa manhã, ao despertar de sonhos inquietantes, Gregório Samsa deu por si na cama transformado num gigantesco inseto. Estava deitado sobre o dorso, tão duro que parecia revestido de metal, e, ao levantar um pouco a cabeça, divisou o arredondado ventre castanho dividido em duros segmentos arqueados, sobre o qual a colcha dificilmente mantinha a posição e estava a ponto de escorregar. Comparadas com o resto do corpo, as inúmeras pernas, que eram miseravelmente finas, agitavam-se desesperadamente diante de seus olhos...

Horripilante fantasia, que inverte a ordem natural e evoca a metempsicose, doutrina milenar, presente nas tradições religiosas das mais antigas culturas. É uma idéia equivocada, a contrariar a realidade proposta pela Doutrina Espírita:

A evolução é via de mão única.

Para nossa felicidade, jamais retornaremos a estágios inferiores da Criação, embora muita gente bem o mereça.

Creio que você já ouviu, amigo leitor, em relação a certas pessoas, expressões assim: *barata tonta* (não sabe o que faz), *entregue às baratas* (sem rumo, abandonado, negligenciado), *sangue de barata* (não reage às provocações).

Pois é! Se existisse a involução, teríamos a ficção de Kafka transformada em realidade.

***

Em sua infinita sabedoria, o Criador estabelece que, além de servir como degrau para o princípio espiritual em evolução, os seres inferiores tenham outras utilidades, favorecendo o equilíbrio ecológico, que sustenta a vida na Terra.

Às baratas reservou, também, a nobre missão de estimular disciplinas que nos ajudam a vencer a displicência que caracteriza o ser humano, no estágio de evolução em que nos encontramos, envolvendo, não raro, a higiene e a limpeza.

Abençoada barata!

Santa Simplicidade!

O condenado foi conduzido ao local onde arderia em chamas, uma das mais cruéis formas de execução adotadas pelos tribunais inquisitoriais, na Idade Média.

Nas proximidades, observou, admirado, a iniciativa de uma senhora. Recolhia gravetos secos e os juntava à lenha que seria usada, a fim de facilitar a combustão.

Não se contendo, exclamou:

– *Ó santa simplicidade!*

Essa observação é atribuída a João Huss (1369-1415), célebre teólogo e sacerdote tcheco, precursor da Reforma Protestante, injustamente condenado à fogueira por atrever-se a contestar determinados dogmas, claramente incompatíveis com a mensagem evangélica.

Admirável a sua coragem. Enfrentou com serenidade as chamas, não se furtando ao comentário espirituoso.

Diga-se de passagem: deram-lhe uma última oportunidade para salvar-se da fogueira, renegando suas idéias, ao que redargüiu:

– Deus sabe que nunca ensinei ou preguei o que me tem sido atribuído por falsas testemunhas. Tenho desejado apenas uma coisa – a conversão dos homens. Nesta verdade do Evangelho, que tenho transmitido, quero alegremente morrer.

E deixou-se queimar, entoando cânticos de louvor a Jesus.

Postura típica dos grandes missionários. Convictos das idéias que defendem, situam-se acima das limitações de seu tempo e enfrentam o *establishment* sem temores ou dúvidas, dispostos ao sacrifício da própria vida, a fim de manter fidelidade aos seus princípios.

Como ocorreu com o próprio Cristo, o martírio desses heróis dispara reações em cadeia que culminam com avanços significativos em favor do progresso humano.

O aspecto curioso para o qual chamo sua atenção, amigo leitor, é a iniciativa daquela mulher.

Julgava, em *santa simplicidade*, como destaca o mártir, cumprir piedoso dever.

Literalmente, pôs-se a *jogar lenha na fogueira*.

Essa expressão define uma iniciativa freqüente das pessoas, envolvendo palavras e atitudes que tendem a agravar situações complicadas.

Há uma diferença significativa:

Raramente têm a marca da inocência.

Exprimem pura maldade, em expressões assim:

- Tem razão em desconfiar de seu marido. Eu o vi conversando com uma loira, em atitude suspeita!

- Sua antipatia por aquele indivíduo é justificável. Noutro dia falou mal de você!

- Fez bem em afastar-se daquelas pessoas. São expoentes da hipocrisia!

- Só você mesmo, para tolerar as impertinências desse seu amigo. É um neurótico!

- Suas informações sobre nosso chefe são fichinha... Sei muito mais!

- Se fosse comigo procurava a polícia. Botaria na cadeia esse mau-caráter que o prejudicou!

- Não faça acordo nenhum. Cobre seus direitos, tintim por tintim!

Jesus exalta como bem-aventurados os pacificadores, em *O Sermão da Montanha*.
Informa que serão chamados *Filhos de Deus*.

Todos somos frutos do amor divino, mas, para que nos habilitemos à condição de herdeiros dos patrimônios celestes, é fundamental que nos disponhamos a trabalhar com o Criador pela pacificação dos homens.

Se fizermos o contrário, não teremos nem mesmo o benefício da "simplicidade" para justificar nossas ações. Em dois mil anos de Cristianismo, estamos todos perfeitamente conscientes de que não devemos jogar lenha ou, mais modernamente, gasolina, na fogueira das dissensões humanas.

Toc-Toc-Toc

Três velhinhas tomavam o chá da tarde.

Preocupada, ponderava uma delas:

– Minhas queridas, creio que estou ficando esclerosada. Ontem me vi com a vassoura na mão e não me lembrava se varrera a casa ou não.

– Isso não é nada, minha filha – comentou a segunda –, noutro dia, de camisola ao lado da cama, eu não sabia se tinha acabado de acordar ou se me preparava para dormir.

– Cruzes! – espantou-se a terceira. – Deus me livre de ficar assim!

E deu três pancadas na mesa, com o nó dos dedos,

toc-toc-toc, enfatizando:

– Isola!

Logo emendou:

– Esperem um pouco. Já volto. Tem gente batendo na porta!

**

Pois é, leitor amigo, parece que velhice é sinônimo de memória fraca, raciocínio lento, confusão mental...

Sabemos que a evocação do passado e o registro do presente dependem das conexões entre os neurônios, as chamadas sinapses. Há uma perda de ambos com o passar do tempo.

O cérebro também envelhece.

Mas, e o Espírito?

Não reside no ser pensante, imortal, a sede da memória?

Não está o Espírito isento de degeneração celular?

Obviamente, sim!

Ocorre que, enquanto encarnados, dependemos do corpo para as inserções mnemônicas na dimensão física, tanto quanto o pianista depende do piano ou o orador depende das cordas vocais.

Uma das razões pelas quais não temos consciência das vidas anteriores é a ausência de registros relacionados com elas em nosso cérebro.

Pelo mesmo motivo, temos dificuldade para lembrar as experiências extracorpóreas, durante as horas de sono, na *emancipação da Alma,* como define Allan Kardec.

Natural, portanto, que tudo o que afeta a *massa cinzenta*, perturbe a memória – acidentes, concussões cerebrais, distúrbios circulatórios, doenças degenerativas, envelhecimento...

***

Sabe-se hoje que é possível prolongar o viço, cultivando existência saudável – ginástica, alimentação adequada, disciplina de trabalho e repouso, ausência de vícios...

Da mesma forma, podemos conservar, até a idade provecta, a acuidade mental, desde que nos disponhamos a elementar cuidado: exercitar os miolos. Todo labor intelectual, que implica em movimentação dos neurônios, é salutar.

Neste aspecto, os pesquisadores têm valorizado a leitura. A concentração exigida, quando lemos, é um exercício prodigioso para o cérebro, tanto mais vigoroso quanto maior o grau de concentração e o empenho por digerir o que lemos.

A experiência demonstra: as pessoas que cultivam o hábito de ler chegam mais longe com lucidez, preservam a memória, não obstante o avançar dos anos.

***

Sem movimentar os neurônios a velhice perde-se em sombras.

É preciso conservar a vivacidade, o ideal de aprender, de desdobrar experiências, considerando que sempre é possível ampliar horizontes, fazer novas aquisições.

Alguém poderia contestar, afirmando que seria pura perda de tempo na idade provecta, em contagem regressiva para vestirmos o *pijama de madeira* e nos transferirmos para a *cidade dos pés juntos.*

Ocorre que lá ficarão apenas nossos despojos carnais.

Espíritos imortais, habitaremos outros planos do infinito.

Portanto, nenhum aprendizado será ocioso.

Um velhinho de oitenta anos propôs-se a tocar piano. O professor alertou:

– Estudo longo e cansativo. Pela ordem natural, o senhor não usufruirá desse aprendizado.

E ele, animado:

– De forma alguma! Se não der para tocar aqui, serei pianista no Além!

Certíssimo!

É assim que crescemos espiritualmente e mantemos "azeitadas" as engrenagens da mente, para que nunca nos falte esse *élan* que valoriza e torna feliz a existência, promovendo nossa evolução.

Praza aos céus seja essa a marca de nossos dias.

Toc-toc-toc!

Diálogos

O casal vivia às turras, brigas homéricas, sarcasmos, ironias recíprocas...

Houve o que chamaríamos ruptura da relação, naquela fase em que até o olhar incomoda.

Esse é um aspecto curioso da vida conjugal.

No período áureo, de envolvimento passional, os pombinhos se entendem pelos olhos. Parecem ler o pensamento, um do outro.

Com o desgaste da relação, olhar dá choque.

– O que foi? Nunca viu?!

É o fim do casamento.

Um casal chegou a esse extremo.

Não obstante, ambos consideraram a inconveniência da separação. Tinham cinco filhos. Nenhum dos dois admitia ficar sem eles.

E havia a questão financeira. Dividida a família, seriam duas casas para manter, despesas dobradas, nível de conforto prejudicado.

Assim, decidiram continuar sob o mesmo teto, mas... sem papo!

Situação embaraçosa!

Há na vida conjugal a necessidade fundamental de comunicação, até por questões práticas, envolvendo a economia doméstica.

O jeito foi ter os filhos como intermediários, gerando memoráveis "diálogos".

Ela:
– Diga ao seu pai que acabou o arroz.
Ele:
– Diga à sua mãe que está gastando demais.
Ela:
– Diga ao seu pai que vá para a cozinha.
Ele:
– Diga à sua mãe que vá para o diabo que a carregue!
Ela:
– Diga ao seu pai que não é preciso. Moro com ele!

Pior aconteceu quando os filhos saíram de casa. Alguns se casaram, outros foram trabalhar fora.

Já idosos e acomodados, sem coragem de encarar a separação, passaram a se comunicar através de bilhetes, com recados sintéticos e malcriados:

– Diabo, acabou o arroz!...

***

Bem, prezado leitor, vida conjugal não é bolinho, como se diz popularmente.

Hippolyte Taine (1828-1893), filósofo e historiador francês, dizia:

Estuda-se um ao outro durante três semanas; ama-se três meses; disputa-se três anos; tolera-se trinta anos; e os filhos recomeçam.

Ouve-se, no meio espírita, a recomendação de *"tolerar o cônjuge nesta vida, para livrar-se dele na outra"*, inspirada na idéia macabra de que casamento é carma, uma cruz a ser carregada até o calvário de redenção, envolvendo, não raro, a convivência com desafetos de existências anteriores.

Básico engano! A finalidade do casamento não é suportarem-se reciprocamente os cônjuges, como quem cumpre penalidade.

Casamento é ficha de matrícula na Escola do Lar, oferecendo-nos o ensejo de aprender a lição fundamental: mudar de pessoa, na conjugação do verbo de nossas ações. Da primeira do singular – *eu*, sob inspiração do egoísmo, para a primeira do plural – *nós*, sob a bênção ao altruísmo.

A partir do empenho por essa mudança, surge a família, célula básica da sociedade, bênção de Deus em favor de nossa estabilidade espiritual e emocional.

Obviamente, há dificuldades, envolvendo a convivência de dois seres que são diferentes, sob o ponto de vista biológico e emocional, mas serão facilmente superadas se houver a consciência de que estamos juntos para nos harmonizarmos, não para nos suportarmos.

Como dizia um confrade:

– *Jesus espera que nos amemos, não que nos amassemos!*

Sempre será útil, nesse propósito, o exercício de civilidade.

Não me refiro ao verniz social que adquirimos na escola, mas à disciplina das emoções, considerando ser imperioso que respeitemos o próximo, a começar por aquele que está mais perto de nós, alguém que vive sob o mesmo teto.

Se houver respeito, ficam abolidas a agressividade, a palavra áspera, a prevaricação, a displicência, a desatenção, a omissão, males que conturbam o lar.

Esforçando-nos nesse sentido, haveremos de nos dar tão bem que a idéia da separação jamais nos ocorrerá, ainda que convivendo com hipotéticos desafetos do pretérito.

Se Fosse um Homem de Bem...

Acidente grave!

O carro derrapou na pista molhada e capotou, caindo na ribanceira. Perda total.

Milagrosamente, o motorista escapou, ileso.

Em casa, após abraçar os familiares, orou, agradecendo a proteção do Céu.

Espírita, buscou inspiração em *O Evangelho segundo o Espiritismo,* abrindo-o ao acaso.

Leu, no capítulo V:

Se fosse um homem de bem, teria morrido.

Dúvida atroz. Como deveria sentir-se:
Eufórico por não ter morrido?
Acabrunhado por não ser um homem de bem?
Interpretando literalmente o texto, poderíamos supor que os bons são mais suscetíveis de... morrer!

Os maus são preservados, tanto quanto possível, talvez para que sofram mais, purguem seus pecados e se danem!

Obviamente, não é assim, embora tenhamos Espíritos bons que vêm à Terra para jornada breve, retornando, sem delongas, ao Plano Espiritual.

A propósito, lembro-me de um mentor espiritual que, preocupado com seus pupilos, um casal que retardava o cumprimento de compromissos de trabalho junto à infância desvalida, reencarnou como seu filho.

Desde logo despertou nos pais imenso carinho, em sublime ligação afetiva.

Aos cinco anos adoeceu e desencarnou, conforme planejara.

A dor de perdê-lo anulou nos genitores todas as ilusões e despertou neles a vocação religiosa.

Ligando-se ao Espiritismo, logo se inspiraram no cumprimento da tarefa procrastinada, dedicando-se, amorosamente, às crianças de um orfanato.

***

Fénelon, um dos colaboradores de Kardec na

codificação da Doutrina Espírita, assina a mensagem que tem por título aquela citação, que constitui equivocado ditado popular.

Ele adverte que seria uma blasfêmia assim considerar.

Há gente boa que vive bastante.

Há gente má que tem existência breve.

Basta lembrar os jovens que se envolvem com a criminalidade. A expectativa de vida para eles é de vinte anos, não por prêmio à bondade, mas por lamentável comprometimento com a maldade.

Poucos ultrapassam essa idade, habilitando-se a penosos reajustes no plano espiritual e atormentados resgates em futuras reencarnações.

**

Não há dia e horário determinados para morrer.

Salvo circunstâncias excepcionais, a extensão da existência humana relaciona-se com nossas ações.

Regra básica:

Os que vivem para o Bem são protegidos, evitando-se, tanto quanto possível, lhes suceda algo não programado.

Podem ter vida breve (como ocorreu com o mentor que planejou desencarnar aos cinco anos), média ou longa, mas, normalmente, de conformidade com o prazo que lhes foi concedido.

Os que se comprometem com o erro, o vício, o

crime, a irresponsabilidade, a imprudência e outros desvios, próprios da imaturidade humana, ficam à deriva, no encapelado mar em que se aventuram.

Correm riscos maiores.

Portanto, meu caro leitor, nossa única preocupação deve ser a de sustentar existência nobre e digna, cumprindo nossos deveres.

Assim, quando partirmos, em qualquer circunstância, poderemos dizer que se cumpriu a vontade de Deus.

Linhas Divisórias

Conta Ramiro Gama, no livro *Lindos Casos de Chico Xavier,* que durante algum tempo o grande médium realizou reuniões mediúnicas em Pedro Leopoldo, contando apenas com seu irmão José, que era o dirigente e o doutrinador.

Certa feita o mano viajou, atendendo a compromissos profissionais. Era preciso arranjar um substituto, a fim de que o trabalho de assistência espiritual não fosse interrompido.

Mudara-se para Pedro Leopoldo um senhor rústico de nome Manoel, conceituado como experiente doutrinador de Espíritos obsessores.

José foi procurá-lo.

Manoel, prestativo, aquiesceu de boa vontade.

No dia aprazado compareceu à reunião, portando grosso exemplar da Bíblia, que costumava usar em suas pregações.

Manifestou-se um mentor, a recomendar:

– Meu irmão, esses Espíritos que vão se apresentar são endurecidos. Aplique neles o Evangelho, com veemência.

– Pois não! Vossas ordens serão fielmente cumpridas.

Logo em seguida, Chico recebeu o primeiro obsessor.

Manoel, interpretando ao pé da letra a recomendação, passou a mão na Bíblia e, usando-a como um porrete, passou a desferir golpes na cabeça do médium.

– Tome Evangelho! Tome Evangelho!…

A reunião foi imediatamente interrompida. Chico ficou vários dias com dolorido torcicolo. Sempre de bom humor, comentava:

– Sou, talvez, a única pessoa que já recebeu uma "surra de Bíblia".

***

O hilário episódio teria destaque num compêndio sobre excentricidades na prática mediúnica.

Ressalta o fato de Manoel não saber a diferença entre veemência e violência.

Freqüentemente vemos na seara espírita algo

semelhante, envolvendo companheiros incapazes de distinguir linhas divisórias, em vários aspectos da vivência cristã.

Alguns exemplos:

• Diante do malandro contumaz.
A energia cristã:
– Deixaremos de atendê-lo até que se disponha a mudar.
A agressividade:
– Ponha-se para fora! Mau-caráter! Cara-de-pau!

• Diante do deslize alheio.
O comentário cristão:
– Não nos cabe julgar. Oremos por ele.
A fofoca:
– E tem mais...

• Diante do aprendiz pouco assíduo.
A disciplina cristã:
– Recuperemos o tempo perdido.
A intransigência:
– Está eliminado!

• Diante dos desvios doutrinários.
A iniciativa cristã:
– Vamos organizar um estudo.
A prepotência:
– Vamos acabar com eles!

• Diante dos problemas de relacionamento:
O entendimento cristão:
– Eu preciso melhorar.
A pretensão:
– Ele precisa melhorar.

• Diante das dificuldades no serviço.
A postura cristã:
– Perseverarei.
A inconstância:
– Desistirei!

Para definir quando deixamos de ser cristãos, caindo no resvaladouro das fraquezas humanas, é preciso conquistar os dons da compreensão, filha da reflexão.

Ajudaria muito o empenho da auto-análise, tendo as lições de Jesus por parâmetro.

Se pretendemos um bom trabalho, aproveitando as oportunidades abençoadas de edificação que a Doutrina Espírita nos oferece, é preciso cuidado.

Estejamos atentos às linhas divisórias.

Evitemos usar o conhecimento espírita-cristão como se fosse arma contundente, a fustigar o crânio de nosso irmão.

Baldes D'Água

Conta-se que Xantipa, esposa de Sócrates (470-399 a.C.), possuía pavio curto.

Inquieta e irritadiça, não raro ocasionava-lhe problemas.

Certa feita, depois de azucriná-lo por ninharias, enfurecida com sua serenidade, jogou-lhe um balde d'água.

Aos amigos e discípulos que observaram aquela impertinência, ele comentou, bem-humorado:

– *Depois das trovoadas sempre vem a chuva.*

Reação típica do filósofo, cujo comportamento era marcado pela serenidade, mesmo diante das turbulências provocadas por aqueles que o rodeavam, particularmente a voluntariosa cara-metade.

As raízes de sua estabilidade emocional estavam nele próprio. Não dependia de fatores externos, dos humores alheios.

Rudyard Kipling (1865-1936), reportando-se às características do homem de verdade, com agá maiúsculo, destaca, no famoso poema *"Se"*:

Se és capaz de conservar o teu bom senso e a calma,
Quando os outros os perdem, e te acusam disso.

Exatamente como Sócrates fazia, mesmo ao enfrentar situações bem mais graves que aquele inusitado banho.

Demonstrou isso diante da própria Xantipa, quando foi condenado a beber cicuta pelo crime de estimular as pessoas a pensar.

Ela, agitada:
– *Sócrates, os juízes te condenaram à morte!*
Ele, tranqüilo:
– *Os magistrados também estão condenados, pela Natureza. Também vão morrer!*

Ela, inconformada:
– *És inocente...*

Ele, imperturbável:

– *Querias que eu fosse culpado?*

***

O caminho dessa admirável estabilidade íntima está na famosa sentença do oráculo de Delfos, não raro atribuída ao próprio Sócrates:

Conhece-te a ti mesmo.

Respondendo a uma indagação de Allan Kardec, em *O Livro dos Espíritos,* questão 919, o Espírito Santo Agostinho revela que desvendaremos o continente interior com a análise diária de nossas ações.

É fundamental identificar o que há de certo ou de errado em nós, aprendendo a cultivar acertos e eliminar desacertos.

Há quem busque ajuda alheia, nesse mister, envolvendo profissionais de saúde, religiosos, amigos de boa vontade...

É válido, sem dúvida, mas melhor seria eleger um roteiro preciso, como um mapa que nos permita devassar os refolhos de nossa alma.

O mais precioso, o mais perfeito, todos o sabemos, é o Evangelho, em que Jesus define e exemplifica os caminhos que devemos seguir.

É preciso investir alguns minutos diários no confronto entre nossos impulsos e a orientação evangélica.

E que apliquemos a mesma desenvoltura e rigor com que julgamos o comportamento alheio.

Poderíamos começar pelos *"baldes d'água"* que nos jogam, quando as pessoas nos contrariam ou nos atingem com leviandades.

O que faria Jesus em nosso lugar?

Lembramos a sua recomendação em *O Sermão da Montanha* (Mateus, 5:44):

... orai pelos que vos perseguem e caluniam.

Não se trata de mera retórica.

Foi exatamente o que fez Jesus, na suprema injúria da Cruz, quando, elevando o pensamento a Deus, rogou:

– Pai, perdoa-lhes. Não sabem o que fazem.

Emocionalmente não seremos afetados se, em todas as circunstâncias, nos dispusermos a orar pelos que nos injuriam.

Complicado, não é mesmo, leitor amigo?

Contrariar o impulso de jogar uma geladeira em cima do ofensor e, ainda, orar por ele!

Um amigo, homem generoso e dedicado à Doutrina Espírita, explicava:

– Sou cheio de defeitos. Um deles é não levar desaforo para casa. Se alguém me ofende, peço licença a Allan Kardec e suspendo, temporariamente, a fé espírita. Apenas alguns minutinhos, suficientes para colocar o atrevido em seu devido lugar, dizendo-lhe "poucas e boas"!

Nosso querido codificador há de agitar-se na sepultura, ante disparates dessa natureza.

Como justificar semelhante atitude quando prestarmos contas de nossas ações, no retorno à Espiritualidade?

Alegaremos que não sabíamos, que não tínhamos noção de que um comportamento assim é desastroso?

Certamente, esse juiz severíssimo – nossa consciência – não aceitará tal argumento, porquanto a ênfase da Doutrina Espírita está na reforma íntima, que implica em superar tais reações, típicas da inferioridade humana.

Imperioso, nessas situações, além de orar pelos que nos ofendem, pedir por nós mesmos.

Rogar ao Céu, ardentemente, que trave nossa boca, a fim de não nos comprometermos com destemperos verbais.

Abaixo a Depressão!

Salvo-Conduto

Quando escrevia o livro *Quem Tem Medo da Morte?*, estive no crematório, em Vila Alpina, São Paulo, a fim de colher informações sobre a incineração de cadáveres.

Pretendia, como o fiz, escrever um capítulo sobre o assunto.

O administrador, gentilmente, mostrou-me como funciona o serviço, ressaltando que dentro do forno a temperatura é de aproximadamente três mil graus centígrados.

Podemos imaginar o que seja isso, lembrando que a água ferve a cem graus. Segundo ele, é uma temperatura tão elevada que tudo ali entra em combustão, caixão, metais, enfeites, roupas, pregos, sapatos...

Até o cadáver!

E, algo espantoso: quanto mais gordo o defunto, maiores as chamas, porquanto a gordura é um comburente.

Então, amigo leitor, se pensa em ser cremado, faça um regime para... morrer!

Caso contrário, vai ser aquele fogaréu!

***

Perguntará você:

– E o Espírito? Se ligado ao corpo, no momento da cremação, o que acontecerá?

Certamente "morrerá" de susto. Imaginará estar confinado no inferno.

– Meu Deus, vim parar na caldeira do Pedro Botelho!

Brincadeirinha, amigo leitor.

Qualquer cristão sabe que Céu e Inferno não são locais geográficos, mas estados de consciência.

Jesus dizia *(Lucas, 17:21):*

...o Reino de Deus está dentro de vós!

O inferno também.

Depende de como vivemos, de como sentimos...

Se ainda jungido aos despojos carnais, poderá o

Espírito, em princípio, sentir-se devorado pelo fogo.

Impressão desagradável, sem dúvida, mas meramente ilusória.

As chamas do plano físico não afetam a dimensão espiritual nem os que nela se encontram.

Desintegrados os despojos carnais, o Espírito estará liberado.

Aí reside o problema, porquanto poderá enfrentar dificuldades de adaptação, em virtude do desligamento extemporâneo.

Por isso, Emmanuel, o mentor espiritual de Chico Xavier, recomenda que esperemos três dias, se pretendemos os serviços do crematório.

Até lá, salvo exceções, estaremos liberados.

Em Vila Alpina espera-se pelo tempo que a família desejar, sem problema.

Quando lá estive, um cadáver cumpria o prazo de sete dias, solicitado pelo próprio finado. Outro, estrangeiro, estava em autêntica quarentena, há quase um mês, esperando que fossem localizados seus familiares, em outro país.

A família paga uma diária, como num hotel.

Hotel de defuntos.

Preço módico. Não há refeições…

***

No futuro, numa humanidade mais espiritualizada, a cremação será prática rotineira.

Eliminaremos o culto aos cadáveres, que se exprime na visita aos cemitérios. Aprenderemos a cultuar a memória do morto querido na intimidade do coração, substituindo vasos e flores, velas e incenso, pela dádiva de roupas e alimentos aos carentes, em seu nome.

E hão de ficar muito felizes os que partiram, por sentir que a separação sensibilizou nossas almas para a solidariedade, esse salvo-conduto maravilhoso que um dia nos ajudará a transpor com segurança as fronteiras do mundo físico para encontrá-los no continente espiritual.

Para Evitar Surpresas

Preocupada com a possibilidade de ser enterrada viva, perguntava-me a jovem:

– Se acordar na sepultura, o que acontecerá comigo?

– Vai morrer, minha filha.

– Meu Deus! Por quê?

– Encerrada no caixão, dentro da sepultura, em breves minutos faltará oxigênio. Não se preocupe. Você irá *desta para melhor* sem necessidade de atestado de óbito, velório, rezas... Tudo providenciado por antecipação.

***

Se você, leitor amigo, apavora-se ante essa perspectiva, é simples resolver.

Peça que coloquem um telefone celular no caixão.

Se acordar, ligue para casa.

Apenas tenha cuidado ao comunicar-se com o familiar.

— Alô.

— Socorro!

— Quem fala?

— Sou eu!

— Eu, quem?

— Seu marido.

— Ooooh!...

— Chamem a ambulância! Mamãe sofreu uma síncope!

***

A tafofobia, o medo de ser enterrado vivo, costuma ser relacionada com narrativas de horror, envolvendo cadáveres exumados, que se apresentam arranhados ou virados no caixão, sugerindo que acordaram na sepultura.

Talvez, no passado, até acontecesse, principalmente por ocasião de batalhas ou epidemias. Havia tanta gente para enterrar, que nem sempre os coveiros improvisados percebiam que o suposto defunto estava vivo.

Em circunstâncias normais não há a mínima

possibilidade.

Nenhum morto acorda na sepultura.

Há, sim, o transe letárgico, que imita a morte.

O coração assume ritmo indolente, perto de dezoito batimentos por minuto; o fluxo sanguíneo torna-se lento, o indivíduo fica com aparência de morto, podendo até entrar em rigidez. Mas continua vivo, organismo funcionando, como numa hibernação.

Qualquer médico constatará isso, ao examiná-lo.

O que ocorre é que pessoas muito apegadas à vida física têm dificuldade para se desligar. Permanecem no cemitério por vários dias.

Pior – acompanham a decomposição dos despojos carnais e o banquete dos vermes.

É um fenômeno assustador!

Produz, não raro, traumas violentos. Após o desligamento, o desencarnado sofre alucinações envolvendo aquela situação.

Tenho visto, em reuniões mediúnicas, entidades apavoradas com um cadáver em decomposição que as persegue.

Não raro, estão tão impregnadas daquelas impressões, que o médium sente forte cheiro de carne em decomposição.

Um horror!

Muitos vivenciaram experiências dessa natureza, em existências passadas. Nem todos superaram o trauma.

Daí o medo.

O problema é o despreparo para a grande transição.

Prendemo-nos demasiadamente à vida física, envolvemo-nos com negócios, ambições, vícios e paixões de forma intensa, sem considerar que um dia teremos de deixar isso tudo.

Como se sentiria, leitor amigo, se de repente você fosse colocado nu em um avião e transportado para remota região da África, aqui deixando seus pertences, seus familiares, sua profissão, seu emprego, suas roupas, sua casa?

Que transtorno!

É o que acontece com pessoas alheias à realidade espiritual, quando são seqüestradas pela morte.

***

Bem, há algumas providências que podemos tomar, evitando desagradáveis surpresas no Além:

- Preparar a bagagem permitida:
  Virtudes e conhecimentos.

- Colher informações:
  Estudar a Doutrina Espírita.

- Provisionar moedas do Além:
  Praticar boas ações.

- Cuidar da saúde da Alma:
  Superar vícios e paixões.

- Conquistar amigos *do outro lado*:
  Socorrer seus familiares *deste lado*.

Assim, não haverá o que temer.

A partida será tranqüila, sem traumas, com amparo espiritual, acolhimento festivo, sentimento de inefável felicidade, sustentado pela consciência do dever cumprido.

Observar os Sinais

O motorista seguia pela avenida.

Em dado momento, pretendeu converter à esquerda.

Placa bem visível sinalizava a proibição.

Como bom brasileiro, olhou de um lado e de outro.

Ninguém.

Fez a conversão.

Um guarda o parou.

– Não viu a placa, proibindo virar à esquerda?

– Vi sim, senhor...

– Por que desobedeceu?

– Não vi o senhor.

***

As leis são instituídas para disciplinar a vida social.

Mesmo em culturas primitivas há normas a serem observadas, estabelecendo limites ao livre-arbítrio, para que as pessoas convivam em paz.

Liberdade absoluta?

Somente para o eremita.

Mas isso, contrariando sua natureza gregária, social, tenderá a desajustá-lo.

Já notou, amigo leitor, como os solitários desenvolvem excentricidades?

Falta o referencial.

Se você é casado, tem filhos, convive com pessoas em sua intimidade, fica mais difícil desenvolver manias.

Principalmente os jovens, na sua irreverência, não deixam:

– Que é isso, velho? Saindo de órbita? Surtou?

É preciso, portanto, conviver, evitar a solidão.

Mas é fundamental que, no lar ou na comunidade, estejamos dispostos a observar as disciplinas que regem nossas relações.

Há limites ao livre-arbítrio que devem ser respeitados, com a noção primária, fixada desde Moisés:

Não nos é lícita nenhuma iniciativa passível de causar transtornos ao próximo.

O problema é a imaturidade, que leva o indivíduo a colocar-se acima das leis, sempre que firam seus interesses.

E há os espertos que conseguem burlar os regulamentos, por mais severas as sanções, por mais eficiente a fiscalização.

Esse problema só será resolvido na Terra quando deixar de ser assunto para os órgãos de vigilância, tornando-se compromisso do indivíduo consigo mesmo.

Seria o respeito às leis simplesmente por impositivo da consciência.

***

A religião oferece marcante contribuição nesse particular, acenando com uma vida futura onde nos pedirão contas do que estamos fazendo na Terra.

Destaca-se o Espiritismo, que não se limita a especulações teológicas. Abre a cortina que separa o Além do aquém, dando-nos conta do que nos espera.

Importante destacar, nesse aspecto, o testemunho daqueles que lá vivem.

Em *O Céu e o Inferno*, Allan Kardec reporta-se ao contato com Espíritos que sofrem tormentos terríveis, relacionados com as mazelas que cultivaram no trânsito terrestre.

Detalhe interessante, amigo leitor:

Muitos sofrem, não por infrações cometidas diante das leis humanas, mas por terem desrespeitado as leis de Deus, sintetizadas no *amai-vos uns aos outros*, preconizado por Jesus.

Um companheiro desencarnado nos disse, certa feita, na reunião mediúnica:

– O Espiritismo é o bê-á-bá da vida espiritual. Não temos dificuldade para nos readaptarmos, mas é terrível o sentimento de frustração ao constatar que não fizemos nem dez por cento do que nos competia, num tremendo descompasso entre a teoria e a prática.

A sinalização espírita é bem clara, apontando para o esforço do Bem.

Se optarmos por desvios determinados pela inconseqüência, envolvendo acomodamento e omissão, paixões e vícios, fraquezas e mazelas, inevitavelmente virão as sanções de nossa consciência, impondo-nos retificações penosas, marcadas por desajustes e sofrimentos.

Não Mandem Gravatas

Nos idos de sessenta, século passado, já eram concorridas as sessões públicas do Centro Espírita Amor e Caridade, em Bauru.

Ontem, como hoje, uma motivação básica: a procura de auxílio para males do corpo e da alma.

Embora a racionalidade que caracteriza o Espiritismo, um contato com o Céu de pés firmes na Terra, as pessoas insistem em ver na doutrina codificada por Allan Kardec o apelo ao sobrenatural, sonhando prodígios em favor de sua saúde e bem-estar.

Tardam em compreender que o melhor benefício que devemos buscar no Centro Espírita é o esclarecimento quanto aos objetivos da jornada humana, o que estamos fazendo neste "vale de lágrimas", de onde viemos e para onde vamos.

A par do consolo que oferece, o Espiritismo explica que os males que nos afligem são decorrentes de nossas mazelas, inspiradas no velho egoísmo humano.

Portanto, é preciso dar-lhe o contraveneno: a caridade.

A equação é simples.

– egoísmo + caridade = felicidade

Embora a caridade seja muito mais que simples doação de algo de nossa propriedade, é a primeira idéia que nos acode quando cogitamos de exercitá-la.

E porque os Centros Espíritas situam-se como postos avançados nos domínios da solidariedade, atendendo multidões de carentes, somos sempre convocados a contribuir para a sustentação de seus abençoados serviços.

Alguns dos apelos nesse sentido, que eu ouvia, ainda jovem, nas reuniões públicas do CEAC, fixaram-se em minha memória, por sua bem-humorada singularidade.

– Meus amigos – dizia o dirigente –, tudo o que puderem enviar será muito bem aproveitado – gêneros alimentícios, eletrodomésticos, móveis, utensílios, roupas... Pedimos, porém, encarecidamente, atentarem à utilidade do que oferecem. Muita gente nos manda gravatas. Para quê? Pobre não usa gravata. Só se for para enforcar-se...

Hoje, como ontem, a Doutrina Espírita enfatiza a mesma necessidade de exercitarmos desprendimento. É preciso contribuir para a melhoria das condições de vida de multidões que vivem abaixo da linha da pobreza.

As instituições já não recebem gravatas velhas, algo supérfluo na atualidade, destinado a ocasiões cerimoniosas.

Não obstante, acontece pior. Muita gente imagina que pratica a caridade doando o que ficaria melhor no monturo.

Ao avaliar velhos trastes, em face de faxina, reforma ou mudança, o imprestável é *piedosamente* remetido às instituições filantrópicas.

Se a "vítima" escolhida conta com um serviço de recolhimento domiciliar, fica perfeito. É só telefonar e a viatura vem buscar o entulho, evitando despesas para livrar-se dele.

É incrível, leitor amigo, mas, infelizmente, metade das doações recebidas constitui material imprestável!

Alguns exemplos:

- Vetustos aparelhos elétricos.
  Ficariam bem em museus...

- Roupas bolorentas e rotas.
  Nem para pano de chão...

- Carcomidos sapatos, sem o par.
  Para pernetas?...

- Medicamentos vencidos.
  Impulso homicida?...

- Móveis imprestáveis.
  Só em cenário de bombardeio...

- Colchões desconjuntados e encardidos.
  Para faquires?...

- Carcaças de brinquedos.
  Estímulo à imaginação?...

- Cereais carunchados.
  Coisa de terrorista...

É só o trabalho de recolher e jogar fora, o que demanda esforço dos voluntários e do motorista, gasto de gasolina, tempo perdido.

***

Permita-me, prezado leitor, definir uma regra básica que devemos observar quando nos dispomos a atender aos apelos da solidariedade.

Usaríamos sem constrangimento o que vamos doar?

Se não serve para nós, por que haverá de servir para alguém?

Se passível de conserto ou limpeza, tomemos a iniciativa, antes de doar.

Sempre que possível, levemos pessoalmente nosso donativo, tomando contato com a instituição beneficiada, conhecendo seus serviços, suas carências...

Então, sim, estaremos exercitando a caridade, o bem que praticamos quando nos desprendemos de utilidades, deixando as inutilidades para os agentes de limpeza.

Abaixo a Depressão!

O Santo Casamenteiro

A jovem era devota de Antônio de Pádua.

Orava, genuflexa, diariamente, reiterando rogativas:

– Abençoa meus familiares, dá-lhes saúde e paz. Quanto a mim, santo querido, peço seus préstimos, ajudando-me a encontrar um companheiro, um bom rapaz que realize meu sonhos de um lar feliz, abençoado por muitos filhos...

A família até que ia bem, certamente amparada pelo santo...

Quanto ao casamento, nada feito. Ele parecia fazer ouvidos moucos.

Entrava ano, saía ano, e nada de aparecer o príncipe encantado.

Já quase conformada em ser "titia", viu-se, certa feita, em sonho, diante do grande pregador do Evangelho.

Sem vacilar, cobrou-lhe resposta às reiteradas solicitações.

— Meu santo, tenho feito tudo para merecer suas graças, arranjando-me um companheiro, conforme sua especialidade. Guardo recato. Pouco saio, fugindo às tentações. Só vou à igreja... Comungo diariamente, acendo velas em sua homenagem, repito o rosário duzentas vezes, rogo ardentemente... O que está faltando?

O santo sorriu:

— Minha filha, tenho procurado ajudá-la, mas está difícil, porquanto depende de você. Participe da vida social, freqüente uma escola, integre-se em serviços comunitários, amplie seu círculo de relações... Dê uma chance ao amor!

***

André Luiz faz interessante observação, em *Ação e Reação*, psicografia de Chico Xavier:

Deus ajuda as criaturas por intermédio das criaturas.

Sempre há Espíritos dispostos a atender nossas rogativas, quando orientadas pelo coração, em empenho contrito de comunhão com a Espiritualidade.

Podemos dirigi-las a Deus, a Jesus, aos santos, aos guias, protetores, aos anjos, de acordo com nossas convicções religiosas.

Os santos autênticos, Espíritos iluminados que passaram pela Terra, como Francisco de Assis, Antônio de Pádua, Tereza D'Ávila, Maria de Nazaré, Simão Pedro, não têm condições para atender, pessoalmente, às multidões que os procuram, em milhões de preces a eles dirigidas, diariamente.

Para tanto, contam com enorme contingente de auxiliares, que em seu nome ajudam os fiéis.

O mesmo acontece na área espírita, com veneráveis entidades, como Bezerra de Menezes, Eurípides Barsanulfo, Cairbar Schutel, Batuíra e, hoje, o nosso querido Chico Xavier.

Em nível mais modesto, há familiares, amigos e mentores desencarnados, que atentam às nossas rogativas, a partir de singelas iniciativas.

Jamais estaremos desamparados.

Contamos, invariavelmente, com o amparo das criaturas de Deus que, em nome do Criador desenvolvem iniciativas que visam nosso bem-estar.

Ficaríamos surpreendidos se tivéssemos consciência do permanente empenho de nossos amigos espirituais, buscando ajudar-nos a aproveitar as oportunidades de edificação da jornada humana.

E o fazem por amor ao Bem, como é próprio dos Espíritos que vivenciam em plenitude as leis divinas, conscientes de que a felicidade do Céu está em socorrer as necessidades da Terra.

***

Não obstante, é preciso atentar a um detalhe quando rogamos auxílio aos benfeitores espirituais.

Eles não são babás, chamados a cuidar de marmanjos.

Sua função primordial é nos inspirar a fazer o melhor.

Mostram caminhos.

A iniciativa de caminhar é nossa.

É preciso sair a campo, lutar pelo ideal, trabalhar pela realização de nossos sonhos, para que não nos situemos como a jovem que estava ficando para titia, por fechar-se numa redoma, sem acesso para o "príncipe encantado".

O Preguiçoso

Era indolente por vocação.

Infenso a qualquer iniciativa, vivia miseravelmente.

Ainda que não faltassem oportunidades de melhorar sua condição, logo tratava de afastar-se da "tentação".

Para dar-lhe uma lição, no empenho por "acordá-lo", algumas pessoas decidiram simular seu enterro, comunicando-lhe:

— Já que você não se dispõe a mexer-se, melhor que vá para debaixo da terra.

E o enfiaram num caixão e seguiram para o cemitério, sem que nosso herói reagisse, guardando a habitual indiferença.

Durante o cortejo, um transeunte perguntou quem era o "defunto".

– É um preguiçoso que não serve para viver. Não tem onde morar, nem o que comer...

Compadecendo-se, o desconhecido ofereceu:

– Se o problema é de comida, posso ajudar. Darei um saco de arroz para sustentá-lo.

O "falecido", que tudo ouvia, levantou a tampa do caixão:

– Em casca ou limpo?

– Em casca.

– Então, pode seguir com o enterro.

***

Pois é, amigo leitor, a indolência é, realmente, a "morte em vida". O indivíduo perde a iniciativa e passa a vegetar, alheio à dinâmica da existência, sinônimo de movimento.

Raros os que não se envolvem com a ociosidade em alguma fase da vida, exprimindo tendências bem típicas do estágio evolutivo em que se situa a humanidade.

A própria encarnação, o vestir do escafandro de carne para o mergulho na matéria densa, é um dos recursos usados por Deus para despertar o"defunto".

Submetidos a um corpo que deve ser sustentado e

protegido, sob a égide do instinto de conservação, vemo-nos na contingência de "dar duro", para atender às suas necessidades.

Se permanecêssemos indefinidamente no mundo espiritual, onde ninguém morre de fome ou frio e se sobrevive sem abrigo, tenderíamos a estacionar.

Essa necessidade está bem definida na simbologia bíblica, quando Jeová diz a Adão que deveria ganhar o pão de cada dia com o suor do rosto.

Abençoado suor, que nos liberta da inércia.

***

Uma fase crítica, nesse particular, diz respeito à chamada *terceira idade*, depois dos cinqüenta, no outono da existência.

Não raro, situação financeira estável, garantido o sustento diário pelos proventos de aposentadoria, as pessoas entendem que podem desfrutar as benesses da ociosidade.

Lembrando a história que abriu estes comentários, podemos afirmar que num estágio dessa natureza, quando perdemos a disposição de aprender, de produzir para a sociedade, de crescer em conhecimento, de lutar contra as imperfeições, só servimos mesmo para... morrer.

Imagino que Deus nos dá tempo limitado na Terra, justamente porque há uma tendência para nos acomodarmos, caindo num marca-passo espiritual.

Aprendemos com a Doutrina Espírita que não há retrocesso. Ninguém retrograda nos caminhos da evolução, mas raros fogem ao estacionamento, a partir de determinada idade, acomodando-se às próprias mazelas.

Então, vem a morte, um choque evolutivo de alta voltagem, a agitar nossa alma.

Somos projetados no mundo espiritual, onde se faz a aferição da jornada humana, com a avaliação de méritos e deméritos, a determinarem em que região estagiaremos e a natureza das novas experiências, sempre objetivando nosso crescimento.

Com o tempo, tendemos a nos acomodar.

Vem o choque reencarnatório.

Mais alguns decênios, novo acomodamento.

Vem o choque desencarnatório.

Assim, de choque em choque, habilitamo-nos a superar a tendência ao *dolce far niente*, para assumir-mos as responsabilidades de filhos de Deus, chamados a colaborar com o Nosso Pai na obra da Criação.

Cegos

O professor fazia uma exposição sobre os maleficios do alcoolismo, destacando os prejuízos . que traz à saúde.

A título de ilustração, colocou sobre a mesa um copo com álcool. Em seguida jogou lá dentro um verme que, quase instantaneamente, morreu.

– Vejam que coisa terrível a ação do álcool! – comentou o professor.

Um aluno, que observava atentamente, comentou, admirado:

– Poxa, professor, fico feliz! Nunca terei verminoses!

***

Incrível como o alcoolismo provoca uma obnubilação na mente do indivíduo.

Por mais inteligente e culto, por maiores as evidências quanto aos males do álcool, ele tem mais facilidade para imaginar supostas virtudes. Parece-lhe sempre que há exagero, que as informações não são confiáveis.

O álcool é eficiente desinibidor. Pessoas tímidas animam-se com algumas doses. Tornam-se comunicativas.

Ocorre que há um rebote perverso. À medida que o organismo se condiciona, passa a exigir doses cada vez maiores para sustentar os mesmos efeitos. Instala-se a dependência.

A carência passa a deprimi-lo, submetendo-o a insuportável ansiedade. E vai num crescendo, aniquilando-lhe a vontade e comprometendo-lhe a existência.

***

Além do acomodamento às próprias mazelas, o alcoólatra sofre o assédio de viciados do Além. Estes, diante de condicionamentos perispirituais que os atingem, buscam a satisfação valendo-se de uma associação psíquica com suas vítimas.

É um transe mediúnico às avessas. Ao invés do médium captar os pensamentos do Espírito, é o Espírito quem capta as sensações do "médium".

Daí a dificuldade em superar o vício, porquanto, além da dependência física, há a pressão espiritual.

O alcoólatra interna-se em clínica de desintoxicação. Sai "limpo". No primeiro bar por onde passa, vem o impulso irresistível, sob ação dos parceiros desencarnados.

Começa tudo de novo.

Noutro dia, ao ouvir sobre o assunto, um bebum animou-se com o raciocínio torto dos viciados:

– Bem, se morto poderei contar com um "caneco vivo", não há por que guardar grandes preocupações. Futuro garantido!

Se conhecesse a situação dos viciados desencarnados, não ficaria tão animado.

Os alcoólatras que experimentam o *delirium tremens,* quadro patológico que lhes impõe pavorosas visões de criaturas monstruosas, estão simplesmente contemplando os Espíritos que os assediam, em estado de lamentável desequilíbrio e grande sofrimento.

É o que o espera.

***

Freqüentemente, pessoas nos perguntam o que fazer em favor de familiares alcoólatras.

Podemos, no Centro Espírita, anotar seus nomes para trabalhos de vibração e desobsessão e encaminhá-los ao atendimento fraterno, bem como colocá-los em contato com grupos de apoio.

Há, também, organizações beneméritas como a dos Alcoólicos Anônimos, que realizam maravilhoso traba-lho de recuperação.

Fundamentalmente, oremos muito, rogando a Deus lhes dê consciência do mal que fazem a si mesmos e desperte neles o anseio de renovação.

Somente a partir daí estarão habilitados a iniciar a árdua jornada de sua recuperação.

Ingenuidade

Estava "a perigo".

Precisava, urgentemente, de dinheiro.

Após "passar nos cobres" objetos de uso pessoal e variados pertences, decidiu vender algo menos palpável.

A própria alma!

Anunciou num *site* de leilões da *Internet* e, pasme leitor amigo, encontrou comprador!

Vendeu a indigitada por trinta e um dólares. Foi entregue acondicionada numa garrafa, devidamente tampada.

Moral da história:

Jamais perderemos dinheiro, apostando na ingenuidade humana.

Sempre há alguém disposto a pagar pelo absurdo.

***

Essa curiosa história lembra um dos grandes clássicos da literatura universal: *Fausto,* de Goethe (1749-1832), em que o personagem-título vende sua alma ao demônio.

O tinhoso dispôs-se a atender seus desejos na Terra para tiranizá-lo no Além.

Segundo a teologia ortodoxa, demônios são anjos que pecaram antes da criação de Adão, condenados ao inferno.

Conservando a inteligência e os poderes angelicais, passaram a empregá-los para exercitar o mal, procurando induzir à perdição nós outros, pobres mortais, alheios às suas desavenças com o Todo-Poderoso.

Os anjos rebelados têm produzido estragos, sempre dispostos a "comprar" as almas, explorando as fraquezas humanas.

É fácil constatar isso.

Basta observar o panorama desolador de nosso mundo. Sucedem-se, incessantes, guerras, crimes, mentiras, traições, vícios, envolvendo indivíduos e coletividades, perpetuando desajustes e dores.

Tem-se a impressão de que os demônios são mais poderosos que Deus, pondo em dúvida atributos divinos como:

• Onisciência.

Criou anjos sem saber que iriam se perder, nem que induziriam os homens à perdição.

• Onipotência.

Não conseguiu evitar que se perdessem.

• Misericórdia

Não lhes ofereceu infinitas oportunidades de reabilitação.

• Justiça.

Impôs-lhes eterna danação, sem considerar que a extensão da pena não pode ultrapassar a natureza do crime.

***

A Doutrina Espírita desfaz milenares enganos a respeito do demo.

Não há seres devotados ao mal perene.

Há apenas filhos rebeldes de Deus, submetidos a leis inexoráveis de evolução, que mais cedo ou mais tarde modificarão suas disposições, reconduzindo-os aos roteiros do Bem.

Afirma Jesus que Deus não pretende perder nenhum de seus filhos (*João, 6:39*).

E não perde mesmo, ou não seria o Onipotente.

Os demônios de hoje serão anjos amanhã.

Séculos de lutas e sofrimentos, no desdobramento de inexoráveis experiências evolutivas, porão juízo em suas mentes conturbadas.

Em última instância, diabos somos nós, quando nos comprometemos com o mal.

"Vendemos" nossa integridade por ninharias, aos demônios interiores da cobiça, da ambição, do vício, dos prazeres sensoriais, e perdemos o rumo da vida.

Arremedos do gênio da lâmpada de Aladim, cerceamos voluntariamente nossas potencialidades de filhos de Deus, ao nos tornarmos meras "almas em conserva", voluntariamente prisioneiros de reluzentes e comprometedoras paixões.

Ranger os Dentes

Durante palestra no Centro Espírita, em remota cidadezinha, o expositor notou que o pessoal ligado à instituição não tinha dentes, todos banguelos.

Certamente algum problema relacionado com a má qualidade de vida, envolvendo água, alimentação, escovação, falta de flúor, hereditariedade...

Ao final, em conversa com um dos dirigentes, perguntou:

– Desculpe a curiosidade, mas por que o pessoal aqui não tem dentes?

– Extraímos todos.

– Houve problemas?

– Foi para evitá-los no Além.

– Quem orientou?

– Nosso guia. Diz respeito ao "choro e ranger de dentes" a que se refere Jesus. Informou que não haverá choro se evitamos o ranger dos dentes, indo sem eles.

***

Bem, amigo leitor, parafraseando um ditado italiano, podemos dizer que certamente *non e vero,* não é verdade, mas *sei bene trovato,* é uma boa história, a ilustrar um dos problemas mais freqüentes nos Centros Espíritas pouco afeitos ao estudo: a irracional submissão aos "guias".

Não raro, o dito-cujo é o próprio médium, a exercitar, inconscientemente, sua vocação para liderar, ou um Espírito galhofeiro que se apresenta como tal, aproveitando-se da credulidade das pessoas.

Ainda que estejamos diante de legítimo orientador, nem sempre este tem condições ideais para orientar.

Diz Allan Kardec, em *Obras Póstumas,* na segunda parte, ao falar de sua iniciação no intercâmbio com o Além:

Um dos primeiros resultados que colhi das minhas observações foi que os Espíritos, nada mais sendo do que as almas dos homens, não possuíam nem a plena sabedoria, nem a ciência integral; que o saber de que dispunham se circunscrevia ao grau que haviam alcan-

çado, de adiantamento, e que a opinião deles só tinha o valor de uma opinião pessoal.

Reconhecida desde o princípio, esta verdade me preservou do grave escolho de crer na infalibilidade dos Espíritos e me impediu de formular teorias prematuras, tendo por base o que fora dito por um ou alguns deles.

Há duas importantes observações a respeito do assunto, em *O Livro dos Médiuns,* de dois mentores que orientavam Kardec:

Item 266, Espírito São Luís, ou Luís IX (1214-1270), rei de França, famoso por sua bondade e integridade, canonizado pela igreja católica em 1297:

Qualquer que seja a confiança legítima que vos inspirem os Espíritos que presidem aos vossos trabalhos, uma recomendação há que nunca será demais repetir e que deveríeis ter presente sempre na vossa lembrança, quando vos entregais aos vossos estudos: é a de pesar e meditar, é a de submeter ao cadinho da razão mais severa todas as comunicações que receberdes; é a de não deixardes de pedir as explicações necessárias a formardes opinião segura, desde que um ponto vos pareça suspeito, duvidoso ou obscuro.

Item 230, Espírito Erasto, que foi discípulo de Paulo de Tarso:

... Na dúvida, abstém-te, diz um dos vossos velhos provérbios. Não admitais, portanto, senão o que seja, aos vossos olhos, de manifesta evidência. Desde que uma opinião nova venha a ser expendida, por pouco que vos pareça duvidosa, fazei-a passar pelo crisol da razão e da lógica e rejeitai desassombradamente o que a razão e o bom senso reprovarem. Vale mais repelir dez verdades do que admitir uma única falsidade, uma só teoria errônea.

Elementar, portanto, caro leitor, que nos habituemos a examinar cuidadosamente as orientações que venham da Espiritualidade, sem medo de perguntar e até de contestar as que pareçam fugir à coerência doutrinária.

Diga-se de passagem: os mentores legítimos exercitam infinita paciência. Não se aborrecem com nossas dúvidas.

***

Oportuno lembrar, nesse particular, que a natureza dos Espíritos que nos trazem notícias e orientações guarda correspondência com as intenções do grupo.

Se desejamos receber manifestações produtivas, orientemos a reunião para o estudo, insistindo na seriedade, no empenho do Bem, no ideal espírita... Seguramente atrairemos mentores espirituais em condições de ajudar.

Mas, se conforme ocorre com freqüência, estivermos voltados para os interesses imediatistas, alheios às realizações espirituais, certamente atrairemos orientadores sem orientação, capazes de sugerir aberrações como extrair os dentes na Terra para não rangê-los no Além.

\ Abaixo a Depressão!

Dar o Pão

O delegado criticava, veemente, o mendigo:

– Você é um mau-caráter! A senhora registrou Boletim de Ocorrência, reclamando de sua atitude. Se foi tão atenciosa; se piedosamente deu-lhe um pão, por que jogou a pedra na janela de sua casa, quebrando a vidraça?

O mendigo ficou indignado.

– O doutor está enganado! Não foi pedra! Atirei foi o pão empedrado que a sovina me deu!

***

Bem poderíamos discorrer sobre a ingratidão ou, pior, o responder com o mal ao bem que nos fazem.

Creio, entretanto, leitor amigo, que seria mais oportuno destacar, neste episódio, constrangedora questão: o atendimento ao pedinte.

Em princípio as pessoas tendem a encará-lo como mero importuno, que vem perturbar sua tranqüilidade ou interromper seus afazeres.

O impulso inicial, costumeiro, é informar, taxativo, sufocando a consciência e amputando o vernáculo:

– Tem nada não!

Os mais "generosos" apressam-se em estender-lhe alguns centavos, interrompendo o relato de suas carências, a despachá-lo de pronto.

Quando se dispõem a "perder tempo", vão um pouco além, oferecendo "mimos" como surrados trapos, restos de refeição, pão amanhecido...

Sendo o infeliz atendido por um ateu, até se admite semelhante comportamento. Afinal, descartada a existência de Deus e a sobrevivência da alma, tudo é permitido, especialmente tratando-se de descumprir singelos deveres de solidariedade.

Lamentável que, com raras exceções, esse comportamento é adotado por aprendizes do Evangelho, que deveriam, por elementar norma de comportamento, levar em consideração a recomendação de Jesus *(Mateus, 7:12):*

– Tudo o que quiserdes que os homens vos façam, fazei-o assim também a eles.

Se fôssemos nós a evocar a compaixão alheia; se estivéssemos carentes, sofridos, atormentados, gostaríamos de ouvir incisiva negativa ou de receber mísero pão amanhecido?

É preciso cuidado para não nos enquadrarmos na melancólica observação de Jesus, lembrando o profeta Isaías:

... – Este povo honra-me com os lábios, mas o seu coração está longe de mim.

***

Sebastião Carlos Gomes, antigo diretor do CEAC, afirmava que, ao passarem pela quadra em que mora algum espírita, os carentes que solicitam auxílio sempre vêm ter à sua porta, como que guiados por invisível mão.

Explicava que os bons Espíritos os inspiram, considerando que os moradores, embora feitos do mesmo material que caracteriza a Humanidade, em que um ingrediente básico é o egoísmo, estão conscientes de que devem lutar com todas as forças contra essa tendência visceral, exercitando a solidariedade.

Aí está, leitor amigo, algo para pensar, se você pretende orientar sua existência pelos princípios codificados por Allan Kardec.

E se aquele que o procura foi guiado por agentes do Bem? Empenhados em ajudá-lo, sopraram-lhe, pelos condutos espirituais, nos refolhos de sua mente:

– Bata naquela porta! Ali mora um espírita, o cristão de consciência desperta. Ali será respeitada sua dignidade de ser humano e serão atendidas suas necessidades!

Se não correspondermos às expectativas da Espiritualidade, nossa consciência, mais cedo ou mais tarde, nos cobrará pela omissão.

Considerando esse manancial divino que é a Doutrina Espírita, a esclarecer que o próximo é o nosso caminho para Deus, imperioso observar outro princípio apresentado por Jesus *(Lucas, 12:48)*:

... A quem muito foi dado, muito se pedirá.

O Jogo da Atenção

Admirável a concentração daquela senhora.

Freqüentadora assídua de reuniões de` assistência espiritual, no Centro Espírita, era admirada pelos próprios expositores. Sentiam-se lisonjeados com seu interesse, olhos fixos neles, modelo de atenção.

Alguém lhe perguntou como conseguia manter-se ligada o tempo todo, mesmo diante de palestrantes menos cativantes.

– Fui orientada a respeito. Disseram-me que é um preparo para o passe magnético. Então trato de não perder uma só palavra…

– Que técnica usa?

– Nada sofisticado. Limito-me ao "jogo da atenção".

– Como funciona?

– Quando o expositor começa a falar, proponho-me a formar o abecedário, a partir da letra inicial das palavras que pronuncia. Com isso fico "acesa", habilitando-me a receber um passe "no capricho".

Está aí uma solução criativa para a desatenção.

Bem poderia ser usada por esposas de políticos, que acompanham seus maridos nas campanhas eleitorais. Seria fácil passar a imagem de plena atenção, ainda que ouçam dezenas de vezes a ladainha do candidato.

***

Não se anime, leitor amigo.

No Centro Espírita esse jogo não funciona.

Lembro episódio ilustrativo, envolvendo Júlio César (100-44 a.C.).

O grande imperador romano passava meses fora de casa, em campanhas militares, o que ensejava um clima de fofocas, envolvendo a fidelidade de sua mulher, Pompéia.

Certa noite, um jovem de nome Clódio foi surpreendido andando pelos corredores do palácio. Logo surgiu o boato de que ia encontrar-se com a imperatriz.

César inocentou o rapaz no tribunal. Ele foi absolvido, mas o imperador acabou repudiando a esposa.

Quando o questionaram sobre esse comportamento contraditório, explicou:

– *À mulher de César não basta* ser *honesta. Deve parecer honesta.*

Invertendo a observação de César, podemos dizer que não basta aparentar que estamos concentrados na exposição doutrinária.

Imperioso que estejamos realmente assimilando conteúdos.

E não se trata de mero preparo para o passe magnético. Este, na verdade, é um tratamento de superfície. Cuida de efeitos.

As palestras atacam as causas profundas, originárias do comportamento. Oferecem um roteiro para as pessoas superarem seus desajustes, mudando o rumo de suas vidas. Daí a importância da atenção, não como mero jogo, mas como empenho de aprendizado.

***

Várias causas são evocadas para justificar a desatenção.

Cansaço, esgotamento, distração, enfermidade, preocupação, e até influências espirituais.

Pode ser algo disso ou tudo isso, mas, fundamentalmente, o problema é de motivação.

Enquanto as pessoas procurarem o Centro Espírita como quem vai a um hospital, em busca de cura para males do corpo e da alma, sempre haverá tais dificuldades.

Quando nos compenetrarmos do significado da Doutrina Espírita e estivermos realmente interessados em aprender, teremos toda a atenção do mundo, habilitados ao "jogo da sabedoria", que premia os participantes com a solução dos enigmas da existência, sobrepondo-se ao imediatismo terrestre.

Somente assim superaremos o estágio primário:

Espírita por aparência.

Seremos promovidos a um nível superior:

Espírita por essência!

A Música e a Letra

O empresário convidou um funcionário de sua empresa, homem simples, para a palestra de emérito professor.

No dia seguinte, perguntou-lhe:

— Então, o que achou?

— Maravilhoso! Fala divinamente!

— Entendeu?

— Não senhor! Fiquei "boiando".

Apreciou a música, não entendeu a letra!

Menos mal.

***

Vivemos mergulhados num oceano de vibrações, envolvendo as emissões mentais de bilhões de espíritos encarnados e desencarnados que vivem em nosso planeta.

Como se fossem emissoras de rádio em cadeia, formam correntes de vida mental, determinadas pela sintonia.

Envolvem desde os padrões mais baixos, os que vivem perto da animalidade instintiva, aos mais altos, Espíritos sublimados, cultores do Bem e da Verdade.

Nossos estados emocionais, determinados pelos impulsos que nos movem, são exacerbados e realimentados por vibrações que colhemos na faixa em que estagiamos.

É um empurrar para baixo ou para cima, como girar o dial de um receptor de rádio para captar determinada emissora.

Por isso, a primeira providência, quando estamos "na pior" é mudar a sintonia, cultivando bons pensamentos e envolvendo-nos com idéias renovadoras.

***

Valem os recursos mobilizados pelas escolas psicológicas, religiosas e filosóficas.

Ainda que seus representantes não tenham noção desse processo, estimulam-nos, quando dotados de bom senso, a uma sintonia melhor.

Nesse particular, leitor amigo, forçoso reconhecer que o Espiritismo vem numa vanguarda.

Jamais os problemas humanos foram tão bem equacionados.

A conceituação doutrinária desdobra maravilhosa visão do mundo espiritual, que nos permite decifrar os enigmas do destino humano.

Ficamos sabendo de onde viemos, por que estamos na Terra e para onde vamos, por que enfrentamos problemas e dissabores, dores e dificuldades, na jornada humana.

Isso nos oferece algo inestimável à segurança de viver, conscientes de que não estamos entregues à própria sorte.

Tomando conhecimento das realidades espirituais, tendemos a modificar as motivações existenciais, a privilegiar o Espírito que viverá para sempre, acima do ser frágil de carne que desaparecerá na sepultura.

Com isso elevamos o teor vibratório, ligamo-nos a correntes superiores de vida mental e nos livramos de perturbações e influências espirituais desajustantes.

***

Poderíamos dizer, nesse particular, que o expositor espírita é um especialista em "tomadas". Orienta-nos para que nos desliguemos daquelas que não interessam à nossa economia espiritual, ligando-nos a correntes de vida mental saudável, a partir de conexões adequadas.

As idéias espíritas, quando assimiladas, produzem prodígios de renovação, oferecendo-nos condições para uma existência mais tranqüila e feliz.

Aqui esbarramos no problema da "letra" e da "música".

Pode a "música" ser belíssima, mas se não entendermos a "letra", estaremos diante de uma pintura "de vanguarda", que impressiona pelo inusitado de suas formas e cores, mas de significado impenetrável ao cidadão comum.

Daí a responsabilidade dos comunicadores espíritas, envolvidos com a palavra escrita e falada.

Não vale a facilidade de expressão, exprimindo musicalidade, se o conteúdo é complicado, de difícil entendimento.

É bem como a história daquele erudito professor, que se propôs a provar a existência de Deus, numa palestra.

A "música", exprimindo sua erudição, conceituação, voz, dicção, era perfeita.

Após a palestra, um ouvinte aproximou-se.

Homem simples, de poucas letras, comentou:

– Ói, moço, apesar de tudo o que o senhor disse, continuo acreditando em Deus.

Linda "música".

"Letra" ininteligível!

Com ou Sem...

A bela vivenda atendia às necessidades do casal.

Ampla e confortável, pintura impecável, quintal espaçoso, sortido pomar, garagem para vários automóveis...

Além do mais, uma pechincha. Segundo o corretor, o proprietário tinha urgência na venda. Fora, certamente, um golpe de sorte, concretizar tão bom negócio, antes de outro felizardo.

Após a mudança, não tardaram em perceber seu equívoco. Coisas estranhas e assustadoras aconteciam ali, envolvendo pancadas nas paredes, gritos na madrugada, portas a ranger...

Ficou evidente o porquê do suposto "bom negócio".

A casa era habitada por fantasmas empenhados em atormentá-los, como num filme de terror.

Após algumas noites insones e apavorantes, deixaram a propriedade mal-assombrada e entraram com ação judicial para cancelar a compra.

Alegavam que fora sonegada a informação de que havia fantasmas, antigos moradores que não admitiam intrusos.

Inusitadamente, o juiz que julgou o processo deu-lhes ganho de causa, anulando a transação. Não se deu conta de que, com sua sentença, estava reconhecendo, oficialmente, a sobrevivência da Alma e a possibilidade de intercâmbio com o Além.

Essa realidade foi descortinada pela Doutrina Espírita, desde a codificação, com o lançamento de *O Livro dos Espíritos*, de Allan Kardec, em 18 de abril de 1857.

Multidões de Espíritos nos rodeiam. São as almas dos mortos, a agir entre nós, de conformidade com suas tendências, interesses e necessidades.

O plano espiritual não está em compartimento estanque, à distância das misérias humanas.

É tão-somente uma projeção do plano físico. Começa exatamente onde estamos. E aqui ficam todos aqueles que, libertando-se dos laços da matéria, pelo fenômeno da morte, permanecem ligados aos interesses humanos.

Nas reuniões mediúnicas, de assistência espiritual, é comum nos depararmos com Espíritos em tal situação.

Perturbam-se e perturbam os familiares, porque não lhes dão atenção, algo óbvio, já que ninguém os vê.

Pode acontecer, também, que a família venha a mudar-se. O desencarnado permanece apegado ao imóvel. Exaspera-se quando surgem inquilinos, imaginando estar às voltas com uma invasão de propriedade.

E se, entre os novos moradores, há alguém dotado de sensibilidade psíquica, fatalmente sentirá algo dessa influência a incomodá-lo.

Trata-se do que chamaríamos "obsessão pacífica", porquanto não há a intenção de prejudicar. É apenas a reação de alguém perplexo, diante de algo que escapa à sua compreensão. Não há por que nos sentirmos constrangidos a deixar a residência.

Basta buscar auxílio no Centro Espírita, onde há serviços de assistência espiritual para solução desses problemas.

Atraídas às reuniões mediúnicas, as entidades serão esclarecidas e encaminhadas a instituições socorristas do plano espiritual, com o que desaparecerão os fenômenos perturbadores, provocados por sua presença.

***

Se a moda pega, se prospera o exemplo da família que se sentiu lesada por comprar uma casa habitada por fantasmas, teremos uma alteração substancial nos anúncios de venda ou locação de imóveis.

Será indispensável a observação *"com"* ou *"sem"* fantasmas, para evitar indesejáveis processos judiciais de anulação.

A Ajuda Divina

Chovia torrencialmente. O rio transbordava, as águas invadiam o vilarejo.

Aquele crente, que morava sozinho em confortável vivenda, multiplicou orações, pedindo a assistência do Céu.

Em dado momento, ante o avanço da enchente, foi para o telhado, confiante de que Deus o salvaria.

As águas subindo...

Passou um barco recolhendo pessoas ilhadas.

– Não é preciso. Deus me salvará!

As águas subindo...

Passou uma lancha...

– Fiquem tranqüilos! Confio em Deus.

As águas subindo...

Passou um helicóptero...

– Sem problema! Deus me protegerá.

As águas subiram mais, derrubaram a casa e o homem morreu afogado...

Diante do Criador, na vida eterna, reclamou:

– Oh! Senhor! Confiei em ti e me falhaste!

– Engano seu, meu filho! Mandei um barco, uma lancha e um helicóptero para recolhê-lo!

***

Não estamos entregues à própria sorte, como sugere o pensamento materialista de Jean Paul Sartre (1905-1980).

O Senhor não esquece ninguém. A todos estende sua mão complacente, dando-nos condições para enfrentar nossas dificuldades e dissabores.

Há um problema: raramente identificamos a ação divina. Isso porque as respostas de Deus nem sempre correspondem às nossas expectativas.

Pedimos o que desejamos.

Deus nos dá o que precisamos.

Os temporais da existência simbolizam as esfregadas da Providência Divina, ensejando mudança de rumo.

Senão, vejamos:

1. A doença respiratória...
2. O lar em desajuste...
3. A dificuldade financeira...
4. A perda do emprego...
5. O acidente automobilístico...

São situações constrangedoras que nos perturbam.
Pedimos a ajuda divina.

Deus vem em nosso auxílio, mas é preciso que nos disponhamos a tomar o barco do futuro, deixando no passado velhas tendências.

Podemos considerar, na mesma seqüência, que:

1. O tabagismo afeta os pulmões.
2. A incompreensão conturba o relacionamento afetivo.
3. A indisciplina nos gastos faz rombos nas contas.
4. A displicência profissional resulta em demissão.
5. A irresponsabilidade no trânsito favorece desastres.

A pouca disposição em encarar nossos erros e desacertos, como causa de nossas dificuldades e problemas, neutraliza a ação divina em nosso benefício.

As crises sugerem mudanças.

Se não mudamos com elas, sempre nos sentiremos abandonados por Deus, incapazes de identificar o socorro divino.

***

A propósito vale lembrar interessante texto, que me veio ter às mãos, sem indicação do autor:

Pedi a Deus para tirar os meus vícios.
Deus disse:
– Compete a ti superá-los.

Pedi a Deus para fazer completo meu filho deficiente.
Deus disse:
– Seu Espírito é completo. O corpo é temporário.

Pedi a Deus para me dar paciência.
Deus disse:
– Paciência não é dádiva. É aprendizado.

Pedi a Deus para me dar felicidade.
Deus disse:
– Eu dou bênçãos. Felicidade depende de ti.

Pedi a Deus para me livrar da dor.
Deus disse:
– Sofrer te afasta do mundo e te aproxima de Mim.

Pedi a Deus para fazer meu espírito crescer.
Deus disse:

– Deves crescer por ti próprio. Farei a poda para que dês frutos.

Pedi a Deus todas as coisas que me fariam apreciar a vida.
Deus disse:
– Eu te darei Vida para que aprecies todas as coisas.

Pedi a Deus para me ajudar a amar os outros como Ele me ama.
Deus disse:
– Ahhh! Finalmente entendeste!

\ Abaixo a Depressão!

Resoluções

No mês de dezembro, as indefectíveis resoluções do Ano-Novo.

As pessoas listam iniciativas que visam melhorar a qualidade de vida:

• Saúde

– Queimarei gorduras indesejáveis, malhando na academia.

– Desenferrujarei as pernas com caminhadas diárias.

– Porei cadeado na boca, reduzindo o excesso de peso.

– Deixarei de ser o bobo na outra ponta do cigarro aceso.

• Vida familiar
– Não implicarei com meu marido, por não pendurar a toalha de banho, guardar os chinelos ou limpar os sapatos ao entrar em casa.
– Não me irritarei com minha cara-metade, quando estiver "atacada", nos dias de tensão pré-menstrual.
– Nunca mais direi que feliz foi Adão, que não tinha sogra.
– Não verei meus filhos como "aborrecentes" interessados em me enlouquecer.

• Vida social.
– Escovarei minha conversa. Nada de palavrões, mesmo quando aquele motorista desavisado me dê uma fechada, quase provocando grave acidente.
– Serei amigo fiel da verdade. Não mandarei dizer que não estou em casa quando me procure alguém que não quero receber.
– Não passarei adiante boatos e fofocas, contendo o impulso de dar asas à imaginação como quem solta penas ao vento.

• Religião
– Encontrarei tempo e disposição para participar das reuniões doutrinárias, na casa Espírita que freqüento.
– Estarei atento às palestras, mesmo quando fale

aquele expositor que costuma dar-me sono.

– Assumirei encargos sem preocupação com cargos.

– Efetuarei regulares contribuições, sem cogitar de celestes premiações.

Resoluções assim, se observadas, representam uma semeadura de bênçãos. O problema é que constituem letra morta na cartilha existencial.

Cogitamos de fazer muito e não fazemos nada.

Por isso costuma-se dizer que de boas intenções o inferno anda cheio.

Melhor reduzi-las a um mínimo, concentrando esforços em torno delas.

Detalhe essencial:

Evoquemos a proteção do Céu!

Quando associamos as resoluções à oração, fiéis aos nossos bons propósitos, realizamos prodígios de renovação.

Há uma prece famosa, atribuída a Reinhold Niebuhr (1892-1971), teólogo americano.

Trata-se da famosa *Oração da Serenidade,* que resume com perfeição o que nos compete fazer.

É uma combinação notável de três resoluções, para as quais evocamos o apoio divino:

Senhor, dá-nos a graça de aceitar com serenidade as coisas que não podem ser mudadas...

Coragem de mudar as coisas que devem ser mudadas...

E compreensão para distinguir umas das outras.

A morte de um ente querido, a amputação de uma perna, a lesão do nervo ótico, a esterilidade e outros males irreversíveis podem ser situados como cármicos, nas experiências humanas.

O que de pior podemos fazer, em tais situações, é cair no desespero e na revolta, que apenas multiplicam nossos padecimentos.

Há os que vão mais longe no desatino: tentam a fuga, mergulhando nessa porta falsa, que é o suicídio, a preci-pitá-los em dores mil vezes acentuadas.

Quando aceitamos, confiando em Deus, fica mais fácil.

A submissão é o fardo leve a que se referia Jesus.

Por outro lado, há situações que podem e devem ser modificadas.

Algumas são geradas por nós mesmos, como o vício, a solidão, a tristeza...

Outras, como a pobreza e o desemprego, são contingências, aparecem em decorrência das mazelas da sociedade humana.

Podemos superá-las, confiando em nós mesmos e em Deus.

***

Há um problema:
Geralmente arremetemos contra o inexorável e nos

acomodamos ao superável.

Por isso as pessoas, não raro, envolvem-se com mudanças infelizes, gerando situações comprometedoras que podem ser resumidas em breves diálogos:

– Meus pais implicavam com meu gosto pelas madrugadas, a receber visitas, puxar um fumo, ouvir som da pesada...
– Reformulou seus hábitos?
– Reformulei o endereço! Moro sozinho.

– Estava sem espaço na agenda para as atividades religiosas.
– Encontrou tempo?
– Dei um tempo! Voltarei quando estiver menos atarefado.

– Indignava-me a corrupção no setor público onde trabalho.
– Alterou a localização?
– Alterei a opinião! Entrei no esquema. Ninguém é de ferro.

– Andava muito irritado com minha esposa.
– Mudou o relacionamento?
– Mudei de esposa!

– Lia, apavorado, as publicações sobre os malefícios do fumo. Um horror!

– Deixou de fumar?

– Deixei de ler!

Pessoas assim estão mal inspiradas.

Acomodam-se ao que é imperioso mudar.

Pretendem mudar o que deve ser preservado.

Daí a necessidade de pedirmos a Deus nos dê a bênção da compreensão, para distinguir com clareza a iniciativa correta.

Então, sim, desfrutaremos em plenitude nossos dias, cumprindo o que Deus espera de nós.

Cidadania

Logo após a Segunda Guerra Mundial, dois homens almoçavam num restaurante londrino.

A carne estava racionada. Cada cliente só podia comer um bife.

Um deles, brasileiro, após saborear o seu, pediu outro ao garçom. Este lhe disse que não poderia atendê-lo, em face da restrição vigente.

Nosso patrício sorriu, superior:

– Norma ingênua. Posso entrar noutro restaurante e comer mais um bife.

O garçom, imperturbável:

– Sem dúvida, o senhor pode fazer isso. Um inglês não faria.

***

Quando dizemos que o cidadão é o indivíduo no pleno uso de seus direitos civis e políticos, exprimimos uma definição pela metade.

Cidadão é, também, o indivíduo cônscio de suas responsabilidades perante a sociedade.

Se leis são instituídas, visando disciplinar o relacionamento social e favorecer o bem-estar coletivo, compete-lhe observá-las, integralmente.

Em países de cultura milenar, povos conscientes e esclarecidos, a cidadania é exercitada em plenitude, envolvendo direitos e deveres, em favor do bem-comum.

O inglês, no pós-guerra, período de grande escassez, observava estritamente o racionamento, a fim de que toda a população pudesse receber as proteínas da carne.

Nosso povo, ainda pouco preparado para o exercício da cidadania, está sempre está disposto a exercitar o "jeitinho brasileiro".

Em sua expressão mais simples, diríamos que é a arte de burlar as leis e os regulamentos em proveito próprio, sem cogitar de que, invariavelmente, haverá prejuízo para outrem.

***

Os ingleses não tinham a fiscalização em seus calcanhares para obrigá-los a cumprir as normas.

Sua observância era uma questão de maturidade.

Será a plenitude da cidadania, considerados os direitos e os deveres inerentes à convivência social, mera decorrência do tempo?

Teremos que esperar por uma cultura brasileira milenar para alcançar tal conquista?

Certamente, não!

A educação pode agilizar o processo.

Não se trata da mera instrução que recebemos na escola, o verniz social, mas da educação fundamental, no lar, a partir do comportamento dos adultos.

Se os pais não passam para a criança o exemplo de cidadania, de cumprimento de seus deveres, de respeito pelas leis, de fidelidade à verdade, como iremos mudar a mentalidade patrícia?

Um amigo dizia-se estarrecido com o que presenciou, certa feita, num jogo de futebol.

Em dado momento, um menino de seus oito anos, indignado com suposta falha de arbitragem, proferiu palavrões. "Homenageou" a senhora mãe do juiz, atribuindo-lhe aquela profissão pouco recomendável.

O pai o olhava sorridente, orgulhoso de sua atitude intempestiva.

Que se pode esperar de um adulto que recebeu, na infância, esses estímulos ao destempero e à vulgaridade?

Outro exemplo:

Um homem perdeu uma pasta com vários documentos.

Terrível transtorno! Ali estavam o RG, título de

eleitor, carteira de motorista...

Logo recebeu um telefonema.

– Meu filho encontrou sua pasta.

– Ah! Ótimo! Fico agradecido e aliviado.

– Vai lhe custar cinqüenta reais.

– Não entendo...

– O garoto quer uma recompensa.

– E se eu não pagar?

– Não vai ter a pasta de volta.

– Isso é extorsão!

– Você deve saber, meu amigo, que *achado não é roubado*.

Foi combinado o local para a "troca".

Ocorre que o dono da pasta, familiarizado com a legislação, levou um policial junto e o "esperto" pai do menino foi autuado em flagrante delito.

Não sabia que, segundo a lei, estava enquadrado em apropriação indébita, equivalente a furto.

Como pode, uma criança que recebe tal orientação do genitor, comportar-se de forma disciplinada e honesta, cumprindo seus deveres de cidadania?

***

Nesse aspecto, a Doutrina Espírita é instrumento divino, com lições incisivas que nos fazem pensar.

Destaque para a Lei de Causa e Efeito, segundo a qual sempre receberemos de retorno todos os prejuízos que causarmos ao próximo.

Lembrando o episódio na Inglaterra, o bife que subtrairmos ao vizinho, hoje, será o bife que faltará em nosso prato, amanhã.

É fundamental cumprir nossos deveres como cidadãos, a partir do elementar dever de ajudar os que passam por privações, atendendo à própria consciência.

E não estaremos fazendo grande coisa, leitor amigo.

Apenas o mínimo necessário para que, na roda das reencarnações, não nos vejamos privados, amanhã, do direito de nos alimentarmos adequadamente.

Abaixo a Depressão!

Do Modo mais Difícil

A senhora, diante do médico, apresenta a adolescente de dezesseis anos.

– Doutor, minha filha perdeu o apetite, está anêmica, tem náuseas e tontura... Por favor, veja o que a menina tem!

O médico, após examiná-la:

– Minha senhora, sua "criança" está esperando outra criança. Está grávida de três meses!

A senhora, indignada:

– Impossível! Ela nunca esteve a sós com um homem! Não é verdade, minha querida?

– Claro, mamãe!

O médico vai até a janela e contempla o firmamento.

– O que o senhor está fazendo? – pergunta a jovem, visivelmente nervosa.

– Da última vez que isso aconteceu, nasceu uma estrela no Oriente e chegaram três reis magos. Não quero perder o espetáculo!

***

Por traz da jocosidade dessa história, há o drama de um milhão e cem mil adolescentes que ficam grávidas anualmente, no Brasil, não raro aos doze anos, sem ne-nhum preparo para a maternidade.

Complicam seu futuro, prejudicam seus estudos, vêem-se às voltas com compromissos e responsabilidades para os quais não estão preparadas.

Há quem considere semelhante situação um carma, uma fatalidade programada.

Idéia lamentável! Sugere que situações dessa natureza são impostas por Deus, quando, na verdade, decorrem da iniciativa humana. Gravidez na adolescência não é fruto de inexorável determinismo.

Fácil demonstrar isso.

Quando medidas educativas são tomadas, tende a decrescer a ocorrência.

No Estado de São Paulo houve 148.018 casos em 1998.

Não obstante o crescimento da população, o índice caiu para 116.368, em 2002, a partir de um programa de orientação sexual, aplicado nas escolas.

***

A questão que se levanta é quanto à concepção, que envolve um Espírito de retorno à Terra para experiências evolutivas.

Pergunta-se:

Não é a reencarnação um processo que exige planejamento da espiritualidade, com todos os cuidados para localizar o reencarnante na família adequada, no tempo previsto? Se uma adolescente de doze anos engravida, não está inserida nesse contexto?

Não é bem assim. Em boa parte ocorre o que denominaríamos reencarnação natural, envolvendo Espíritos que, ligados psiquicamente aos parceiros do sexo, podem ser atraídos à experiência humana pelo campo vibratório que se instala quando ocorre a concepção.

Poderá o leitor contestar, evocando a observação de Jesus:

Não cai uma folha de uma árvore sem que seja pela vontade de Deus.

Bem, depende do significado que emprestamos à expressão *vontade*.

Se considerarmos *desejo, intenção, determinação*, estaremos justificando o assassinato, o estupro, o roubo, o adultério, a traição, como decorrentes dos desígnios divinos, um absurdo.

O mal é sempre obra do homem, não de Deus.

Mais correto considerar *consentimento,* admitindo que Deus nos concede o livre-arbítrio, com o compromisso de respondermos por nossas ações.

Nestes tempos de liberdade sexual confundida com libertinagem, em que sexo se tornou sinônimo de amor (daí esse horrível *fazer* amor), as pessoas, principalmente os adolescentes, exercitam sua sexualidade, sem considerar que pode resultar, como acontece freqüentemente, em gravidez não desejada.

Ela é *consentida* por Deus, envolvendo experiências dolorosas, preocupações e dificuldades que reverterão em seu próprio benefício.

Aprendem hoje o que não devem fazer para que amanhã façam o que deve ser feito, disciplinando suas emoções e contendo seus arroubos juvenis.

Investimentos

Conta Esopo (620-560 a.C.) que um homem muito avarento vivia preocupado com a segurança de seus bens.

Depois de muito pensar sobre o assunto, resolveu que o investimento mais seguro seria o ouro.

Aplicou todas as suas economias em expressiva quantidade do nobre metal, que fundiu numa única barra maciça.

Enterrou-a num bosque e todas as noites visitava seu tesouro para deleitar-se.

Numa dessas oportunidades um ladrão o seguiu. Descobrindo o esconderijo, voltou mais tarde, desenterrou o tesouro e fugiu com ele.

Ao tomar conhecimento do grave prejuízo que sofrera, o avarento desesperou-se. Só faltou enlouquecer de dor.

Um vizinho, buscando consolá-lo, falou, incisivo:

– Por que está tão transtornado, meu amigo? Se o ouro que você guardava fosse uma simples pedra, daria no mesmo, pois não tinha nenhuma serventia para você.

***

Sábias palavras!

O dinheiro amoedado, na volúpia de entesourar, é peso morto a aprisionar-nos na avareza que, como define Balzac (1799-1850), *é esse nó corredio que aperta cada dia mais o coração e acaba por sufocar a razão.*

Se sumir, não haverá nenhuma repercussão em nossa vida.

Há pessoas que poupam o tempo todo e acumulam razoável capital que nunca irão usar. Servirá apenas para suscitar disputas entre os herdeiros, quando o poupador *bater as botas.*

Há um provérbio chinês bem significativo:

Mesmo que tenhas dez mil plantações, só podes comer uma tigela de arroz por dia; ainda que a tua casa tenha mil quartos, nem de dois metros quadrados precisas para passar a noite.

E há as tensões, as dúvidas e a perda de algo precioso, conforme define outro exemplar da sabedoria chinesa:

Quem abre o coração à ambição, fecha-o à tranqüilidade.

Melhor combater tais tendências, aprendendo a investir algo de nossos recursos no *Banco da Providência*, minorando aflições, atendendo enfermos, alimentando famintos, oferecendo melhores condições de vida para muita gente que vive miseravelmente.

O lucro auferido com investimentos dessa natureza é imediato, exprimindo-se em inefável sensação de paz.

O bem estendido ao redor de nossos passos é bênção de Deus em nossas vidas.

***

Questão crucial:

Quando se trata de abrir a bolsa em favor do próximo sempre cogitamos das sobras.

Invariavelmente, porém, sob inspiração do velho egoísmo humano, sempre nos parecerá indispensável o dinheiro amoedado, ainda que o tenhamos sobrando nos cofres.

Por isso o fecho costuma emperrar.

É de Sêneca judiciosa observação envolvendo a maneira como superestimamos nossas necessidades:

Para a nossa avareza, o muito é pouco.
Para a nossa necessidade, o pouco é muito.

Assim, quase nada sobra para o *Banco da Providência*.

Por isso Jesus nos oferece o exemplo da viúva pobre (*Lucas, 21:1-4*), dando a entender que o valor está em darmos o que vai fazer falta.

E considere, leitor amigo:

Geralmente, esse "fazer falta" está em nossa cabeça, como sugere o filósofo romano.

Talvez nos estimule reconhecer que os investimentos nos Bancos do mundo, por mais que rendam, não acrescentarão um só centavo aos valores espirituais.

Tudo ficará aqui, quando formos convocados pela Morte à viagem de retorno. Se só eles merecem nossa atenção, estaremos mal, "ao relento", na espiritualidade.

Quanto aos investimentos no *Banco da Providência*, estes rendem dividendos para a Vida Eterna, habilitando-nos a estada em "hotel cinco estrelas", no Além, amparados por generosos benfeitores.

***

Se alimentamos a intenção de *emprestar a Deus,* recomenda-se algum critério, evitando sustentar a malandragem e a indolência, que, infelizmente, grassam por aí.

O ideal será escolhermos intermediários confiáveis. São as instituições que desenvolvem serviços assistenciais e promocionais de forma transparente e produtiva.

Nelas são identificados os legitimamente carentes, desenvolvendo-se, em seu benefício, ações no sentido de promovê-los, reorganizando suas vidas.

Usando expressão bem atual, ajudam os *excluídos* a encontrar um lugar na sociedade, construindo seu futuro.

O Centro Espírita envolvido com o trabalho social, na vivência dos princípios de caridade que norteiam o Espiritismo, enquadra-se perfeitamente nessa condição.

Ali se desenvolvem os mais variados serviços em favor da população carente, onde todos podemos fazer valiosos investimentos de dois tipos:

• Em espécie.

Aplicar parte de nossos rendimentos, de forma disciplinada e perseverante, com a mesma regularidade com que pagamos contas de água, luz e telefone.

• Em serviço.

Aplicar parte de nosso tempo para engrossar as fileiras de voluntários que desenvolvem serviços de assistência e promoção social, sob a bandeira da solidariedade.

Então, sim, estaremos contabilizando créditos abençoados na *Poupança do Céu,* em favor de uma existência mais feliz na Terra e um retorno tranqüilo à vida espiritual.

Vamos investir?

Vamos aderir?

O novo voluntário em serviços de assistência familiar dizia-se dotado de inusitados poderes mentais.

Afirmava, incisivo:

– Em nosso grupo de trabalho, no Rio de Janeiro, movimentávamos objetos, controlávamos animais, acalmávamos loucos furiosos... Todos o podemos fazer. Demanda apenas treinamento, desenvolvendo nosso potencial.

Certa feita participou de uma visitação domiciliar a enfermos. Numa das casas o grupo deparou-se com um *pit-bull*. O cão mostrava os dentes, ameaçador, do outro lado do portão.

Como a assistida era paralítica e naquele momento não estava presente sua irmã para prender o animal, o grupo dispunha-se a seguir adiante, quando nosso companheiro adiantou-se:

– Deixem comigo! Resolverei o problema.

Concentrando seu potencial vibratório no animal, a fim de imobilizá-lo, abriu o portão e entrou.

O cão não tomou conhecimento de seu poder mental. Parecendo até mais excitado, avançou, furioso, sobre o intruso.

Nosso herói fez meia-volta num átimo e, com a velocidade dos apavorados, saltou de volta, não sem antes receber uma dentada nos fundilhos, "homenagem" ao seu atrevimento.

***

Bem, prezado leitor, descartando tais excessos de imaginação, podemos conceber a mente humana como poderoso gerador de energia magnética. Ela se expande ao nosso redor, guardando compatibilidade com a natureza de nossos sentimentos.

Se a pessoa cultiva tendências negativas, terá um padrão vibratório de baixo teor, formando um clima pessoal denso, escuro, pesado, que a infelicitará.

E tenderá a contaminar o ambiente onde se encontra, da mesma forma que alguém gripado disseminará, pela respiração, os vírus de que é portador.

Nossas vibrações fazem o ambiente pessoal.

As vibrações dos moradores fazem o ambiente doméstico.

As vibrações da população fazem o ambiente urbano.

Se o tempo se fecha, carregado de nuvens, há o perigo de descargas elétricas, que causam estragos.

Se o ambiente psíquico de uma cidade é denso, ocorrem, em maior intensidade, crimes, acidentes, tragédias, mortes, como raios destruidores que se abatem sobre a população.

***

Relata André Luiz, em *Nosso Lar,* psicografia de Chico Xavier, que, saindo do Umbral, a região trevosa que circunda a Terra, admirou-se ao entrar na cidade espiritual que dá título ao livro.

Céu azul, sol brilhante, sem nuvens, sem nevoeiro...

Explicaram-lhe que era o resultado do compromisso dos moradores com o exercício do Bem, em pensamentos e ações.

Ficou sabendo, então, que a atmosfera densa e escura do Umbral, que situaríamos como um "purgatório", é formada pelas vibrações mentais de bilhões de Espíritos encarnados e desencarnados, ainda dominados por sentimentos inferiores, paixões e vícios.

Para melhorar nosso ambiente psíquico, do lar e da cidade onde moramos, o caminho é o mesmo dos habitantes de Nosso Lar:

Exercitar bons pensamentos e ações, cumprindo nossos deveres perante Deus e o próximo.

Se o Bem se situar como a marca de nossos dias, estaremos em paz.

Se os moradores da casa fizerem assim, haverá harmonia no lar.

Se os habitantes da cidade tiverem o mesmo direcionamento, haverá drástica redução de crimes, mortes, problemas, dores, angústias, enfermidades...

Abençoado bem-estar se derramará sobre a comunidade.

***

O envolvimento de toda uma população com essa diretriz é algo quimérico, distante, em face da inferioridade humana.

Não obstante, toda a jornada, por mais longa, começa com o primeiro passo.

Que tal, leitor amigo, se nos dispuséssemos a participar de uma "corrente do Bem"?

Seria o empenho permanente de fazer algo em favor do próximo, solicitando, como pagamento, que o beneficiário se comprometa em idêntica iniciativa.

Crescendo esse movimento abençoado, estaremos iluminando o Mundo, com promissoras perspectivas de uma existência feliz e tranqüila para todos, a *vida em abundância,* segundo a expressão de Jesus.

Há, a propósito, ilustrativa história:

Uma senhora esperava, há uma hora, no acostamento, que alguém parasse para ajudá-la a trocar o pneu furado de seu carro. Finalmente, um motorista estacionou por perto e aproximou-se.

– Meu nome é Bryan. Posso ajudá-la?

Ficou preocupada. Estava vestido com simplicidade, carro maltratado, bem diferente do seu, novinho em folha. E se fosse um assaltante?

Mas ele logo foi pegando o macaco hidráulico e rapidinho trocou o pneu.

Ela não sabia como agradecer. Perguntou quanto lhe devia. Bryan sorriu:

– Não foi nada. Gosto de ajudar pessoas, quando tenho chance. Sou grato a Deus pelas dádivas recebidas, embora viva modestamente. Tenho um lar abençoado, uma esposa adorável. Se realmente quer me reembolsar, da próxima vez que encontrar alguém em dificuldade, tente fazer o mesmo.

Alguns quilômetros adiante, ela entrou numa lanchonete de beira de estrada. A garçonete aproximou-se. Tinha luminoso sorriso, não obstante os pés doendo, o cansaço, por um dia inteiro de trabalho estafante. E havia a sobrecarga da gravidez. A barriga proeminente revelava avançada gestação.

Atenciosa, limpou a mesa com cuidado, atendendo, solícita, a freguesa.

A senhora admirou seu jeito carinhoso e se perguntava como alguém, em tal situação, conservava a disposição de exercitar a gentileza.

Então, recordou de Bryan e de sua recomendação.

Após a refeição, enquanto a jovem buscava troco para uma nota de cem dólares que lhe dera, a senhora partiu.

Quando a garçonete voltou, notou algo escrito no guardanapo, sob o qual havia mais quatro notas de cem dólares.

Não conteve as lágrimas, ao ler:

Alguém me ajudou uma vez e da mesma forma lhe estou ajudando. Não me deve nada. Eu já tenho o bastante. Se realmente quiser me reembolsar, não deixe este círculo de amor terminar em você.

Naquela noite, ao deitar-se, ficou pensando no bilhete.

Como a freguesa soubera o quanto ela e o marido precisavam daquele dinheiro?

Virou-se para ele que dormia ao lado, deu-lhe um beijo e sussurrou:

– Tudo ficará bem, meu querido. Eu te amo muito, Bryan.

Se houvesse um levantamento estatístico, ficariam admiradas as pessoas ao constatar que naquela noite foram menos numerosos os acidentes e as ocorrências policiais.

É que um círculo de luz estendera-se pelas adjacências, a partir de uma corrente de amor, a iluminar os caminhos e a neutralizar as trevas.

***

Façamos, leitor amigo, a nossa corrente sagrada, cultivando bons sentimentos, bons pensamentos, boas ações...

Generosos mentores nos ajudarão nesse empenho, e o Bem se estenderá ao redor de nossos passos, favorecendo nossa cidade com um ambiente tranqüilo e ajustado, onde possamos viver em paz.

Vamos aderir?

Dia dos Vivos

Lar em festa:
— Nasceu alguém?
— Morreu.
— Era tão ruim assim?
— Era muito bom!
— Regozijam-se com sua morte?
— Festejamos sua liberdade.
— Estava preso?
— Libertou-se do corpo.

Este diálogo aparentemente absurdo teria cabimento em antigas culturas orientais.

Sabiamente, pranteavam o nascimento e festejavam a morte, partindo de dois princípios:

- Nascer é iniciar uma jornada de dores e atribulações, enfrentando longo degredo neste vale de lágrimas.

- Morrer é desvencilhar-se das amarras e ganhar a amplidão.

São perfeitamente compatíveis com a Doutrina Espírita, que nos fala da reencarnação como uma experiência difícil, complicada, mas necessária, no estágio de evolução em que nos encontramos.

É, digamos, uma materialização a longo prazo, uma armadura de carne que vestimos, a limitar nossas percepções. Ligação tão íntima, tão entranhada, que o corpo passa a integrar nossa alma, como um apêndice, submetendo-nos a vicissitudes como a dor, o desajuste, a doença, a senilidade, próprios dos seres biológicos, a se acentuarem à medida que se desgastam suas células.

Por outro lado, o esquecimento das experiências anteriores tende a gerar insegurança. O reencarnante situa-se perdido no presente, a caminhar para o futuro sem o referencial do passado.

E há, ainda, o contato com pessoas que dizem respeito ao pretérito. Estará às voltas com sentimentos gratuitos e contraditórios de simpatia e antipatia, afinidade e rejeição, envolvendo gente de seu relacionamento, particularmente os familiares.

O consolo está em saber que se trata de uma contingência evolutiva, no estágio em que nos encontramos.

A carne é a lixa grossa que desbasta nossas imperfeições mais grosseiras.

O esquecimento do passado é a bênção do recomeço, a fim de que possamos superar paixões e fixações que precipitaram nossos fracassos no pretérito.

A convivência com afetos e desafetos de vidas anteriores é a oportunidade de consolidar afeições e desfazer aversões.

Mas... enfrentar tudo isso em estado de amnésia, sem a mínima noção do porquê dessas experiências!...

Barra pesada!

***

Já desencarnar é o alijar da armadura, a retomada das percepções, o retorno à amplidão, a celebração da Vida em plenitude, sem as limitações humanas.

Se houvermos conquistado um mínimo de vitórias, na luta contra nossas imperfeições; se algo fizemos em favor do bem comum, combatendo o egoísmo; se aprendemos a conjugar os verbos amar, perdoar, compreender, na vivência do Evangelho, teremos festiva recepção, marcada pela alegria da missão cumprida.

Estavam certas as antigas culturas orientais.

Quem sabe, um dia, quando essa realidade for melhor assimilada pela Humanidade, haveremos de

mudar as comemorações do dois de novembro.
Não mais o dia dos mortos.
Mais apropriadamente, o dia dos vivos!

Até a Última Linha

Aos sábados realizavam os "zaddikins", interessantes reuniões que eram dedicadas aos comentários dos textos sagrados e ao estudo das tradições israelitas.

Um dia, quando a sala se achava repleta de discípulos e curiosos, o zaddik Issac Lip tomou da palavra e narrou o seguinte:

– Naquele dia, Adão chegou ao declinar da tarde. Intrigada com a estranha demora do esposo, Eva o interrogou, um tanto maliciosa e um tanto abespinhada: "Onde estiveste, querido, todo esse tempo? Por que demoraste tanto para chegar?" Com palavras reticentes, meio gaguejantes, desculpou-se Adão com motivos que,

para um habitante do Éden, não pareciam dos mais aceitáveis. Eva não insistiu. Aceitou as evasivas fraquíssimas do esposo e deixou-o em paz. Adão, sem mais palavras, deitou-se, de bruços, sobre o tapete macio da relva e dormiu pesadamente. Eva, sentada a seu lado e nada conformada com a indiferença do companheiro, pôs-se a contar, em voz alta: "Um, dois, três, quatro, cinto, seis, sete, oito, nove..."

Neste ponto o velho zaddik fez ligeira pausa e interrogou, em tom malicioso, os ouvintes:

— Surge, agora, meus amigos, grave problema. Que estava a Mãe Eva contando, naquela tarde, enquanto Pai Adão dormia pesadamente sobre o chão aveludado do Paraíso?

Permaneceram todos em silêncio. O enigma parecia desafiar a imaginação dos mais cultos e brilhantes talmudistas. O orador insistiu, com um sorriso matreiro, sem mudar de tom.

— Vamos! Que estava a Mãe Eva contando?

Como seus interlocutores continuassem calados, explicou:

— A nossa Mãe Eva contava as costelas de Pai Adão, a fim de apurar se faltava alguma.

***

Tive o prazer de conhecer e ouvir, em duas oportunidades, em Bauru, na década de cinqüenta, num ciclo de conferências, o escritor que registrou essa anedota.

Trata-se do professor Júlio César de Melo e Souza.

Não sabe quem é, prezado leitor?

E se eu disser Malba Tahan?

Pois é! Ambos são a mesma pessoa.

Malba Tahan foi o codinome adotado para suas incursões nos domínios da literatura, encantando gerações que se sucedem, *best seller* permanente, com suas maravilhosas histórias.

É um extraordinário recurso didático, até para ensinar matemática, feita de números, que aparentemente não tem nada a ver com as referidas, feitas de palavras. Quem leu *O Homem que Calculava,* seu livro mais famoso, sabe do que estou falando.

Colégio lotado, ouvíamos Malba Tahan literalmente eletrizados. Tendo formação em artes cênicas, dava um toque especial às narrativas dramatizadas. Prendiam a atenção e aguçavam a imaginação.

Tanto tempo se passou e recordo várias delas, especialmente uma sobre as relações sentimentais, quando não dão certo.

Certa feita o Amor desejou atravessar caudaloso rio.

Procurou um barqueiro. Este se recusou a transportá-lo.

Um segundo exprimiu idêntica negativa.

O terceiro barqueiro consultado dispôs-se a atendê-lo.

Em meio à travessia, o Amor perguntou-lhe quem eram os dois colegas que não quiseram ajudá-lo a passar para a outra margem.

Ele explicou:
– O primeiro barqueiro é o sofrimento; o segundo, o desprezo.
– E quem é você?
– Sou o tempo.

Perfeito!

Se a experiência amorosa não dá certo, pode haver sofrimento, rancor, ressentimento, desprezo, mas só o tempo acalmará nossa inquietação.

Só o tempo faz passar o amor!

***

O grande mérito da história é favorecer a associação dos conceitos de quem fala com as rotinas existenciais dos que ouvem, fixando-os indelevelmente.

Didaticamente é perfeito.

Há algum tempo participei de um ciclo de palestras, em pequena localidade, no interior de Minas. Terminada a reunião, conversando com uma senhora, ela afirmou:

– Lembro-me de sua primeira visita a nossa cidade.

– Está equivocada. Nunca estive aqui.

– Pois eu me recordo até da história que contou. O encontro redentor de um ex-prisioneiro das galés com santo padre.

Bingo! A senhora estava absolutamente certa.

É um episódio do livro *Os Miseráveis,* de Victor Hugo. Costumava apresentá-lo, no desdobramento de uma palestra.

Ela não guardara os detalhes, mas registrara o essencial, que estava na história.

***

Grande parte dos ensinamentos de Jesus, o Mestre por excelência, era transmitida na forma de parábolas, histórias com fundo moral.

O Filho Pródigo, O Bom Samaritano, O Semeador, A Ovelha Perdida, O Fariseu e o Publicano, são algumas das mais importantes.

Sustentaram, indelevelmente, sua doutrina, perpetuando-se na tradição oral, antes que fossem fixadas definitivamente pelos evangelistas.

Use e abuse das histórias, caro leitor.

Alegres, edificantes, evocativas, ilustrativas, esclarecedoras, emocionantes, são pedaços da vida que ligamos à nossa vida, buscando o melhor para nós...

O Destino de Nossa Família

Ocomprador dirige-se ao atendente da livraria, no shopping.

— Preciso de doze metros quadrados.

— Papel de parede é na tipografia ao lado.

— Quero livros.

— Por metros quadrados?

— E encadernados!

— Coleções?

— De preferência.

— Tem os nomes?

— Não importa. É para decoração…

Lamentavelmente, leitor amigo, há quem compre livros "a metro", com essa finalidade. Fica sofisticada e atraente uma biblioteca adornada com encadernações luxuosas e multicores, simetricamente dispostas.

Mas, e o conteúdo?

Aurélien Scholl é contundente:

Nada há que mais se pareça com um idiota, quando está elegantemente vestido, do que um mau livro luxuosamente encadernado.

***

Com livros encadernados ou não, é fundamental formemos nossa biblioteca.

Edmondo de Amicis, escritor italiano, dizia:

O destino de muitos homens dependeu de ter havido ou não uma biblioteca na casa paterna.

Idéia interessante, que enseja indagações pertinentes.

Fazia parte de nosso destino haver livros capazes de nos influenciar, em nosso lar, nos verdes anos?

Ou foi a partir da existência deles que se forjou nosso destino?

Se ficarmos com a primeira hipótese, deveremos admitir que tê-los em casa independe de nossa vontade. Se aprouver aos poderes divinos que nos regem, ficaremos distanciados de páginas que favoreçam nosso futuro.

Certamente a segunda idéia é mais compatível com a boa lógica. Ter livros em casa é uma opção.

Portanto, podemos influir decisivamente em nosso próprio destino e no destino dos nossos, a partir de elementar iniciativa:

Cultivar o saudável hábito da leitura, compondo uma biblioteca doméstica.

Diz o grande Padre Antônio Vieira:

São os livros os mestres mudos que ensinam sem fastio, falam a verdade sem respeito, repreendem sem pejo, amigos verdadeiros, conselheiros singelos; e assim como à força de tratar com pessoas honestas e virtuosas se adquirem, insensivelmente, os seus hábitos e costumes, também à força de ler os livros se aprende a doutrina que eles ensinam.

***

O livro ideal tem características marcantes.

Satisfaz às aspirações estéticas e necessidades éticas.

Ao prazer da leitura soma-se o apelo à consciência. Conteúdo instigante e educativo. Faz pensar, acrescenta saber.

– É o livro espírita! – enfatizará o confrade entusiasmado com a vasta literatura doutrinária.

Realmente, diríamos que temos nela a literatura do sublime, oferecendo-nos um amplo painel das realidades espirituais, das leis que nos regem, de nosso glorioso destino...

Importante reservar em nossa biblioteca um espaço generoso para os livros espíritas, à disposição dos familiares e amigos, atendendo a todos os gêneros literários, gostos e faixas etárias.

Obviamente, tenhamos o cuidado de selecionar os bons autores, já que também em nossos arraiais há os que têm pouco a dizer e o fazem muito mal.

Assim estaremos contribuindo para que nossos filhos forjem um bom destino, sob inspiração dos abençoados princípios codificados por Allan Kardec.

E haverão de trilhá-lo com alegria, se conseguirmos estimulá-los ao amor pela leitura, como destaca Anthony Trollope:

O amor pelos livros, meus amigos, é o seu passo para a maior, a mais pura, a mais perfeita satisfação que Deus preparou para as suas criaturas.

Dura quando todas as outras satisfações perdem o viço.

Sustenta-nos quando todas as outras recreações desaparecem.

Durará até a nossa morte.

Fará nossas horas agradáveis, enquanto vivermos.

O Garçom

A senhora estava inconformada com a morte de Manoel, seu marido, que durante décadas fora dedicado garçom, num dos melhores restaurantes da cidade.

Desejosa de receber conforto, guardando a esperança de poder comunicar-se com ele, via mediúnica, passou a freqüentar reuniões num Centro Espírita.

Certo dia vários médiuns reuniram-se com ela ao redor de uma mesa e, após orações, chamavam, em coro:

– Manoel! Manoel! Manoel!

Durante vários minutos repetiram a evocação, e

nada do "morto" comunicar-se.

Alguém sugeriu:

– E se o chamássemos como os clientes do restaurante fazem?

– Boa idéia, vamos tentar!

E todos, em coro:

– Garçom! Garçom! Garçom!

Uma voz ecoou na sala:

– Pois não!

– Manoel! – exclamou, emocionada, a senhora.

– Não, eu sou o Juvenal!

– E o Manoel?

– Negativo. Ele não atende esta mesa!

***

Essa é de doer, não é mesmo, caro leitor?

Não obstante, oferece o ensejo de algumas considerações, envolvendo a tendência que caracteriza grande parte das pessoas que procuram o Espiritismo – querem notícias de mortos queridos.

Há Centros Espíritas que se dispõem a atendê-las, mas sem os necessários cuidados, a começar pelo equívoco de promover reuniões mediúnicas públicas, com a presença de consulentes que não têm a mínima orientação doutrinária.

Desconhecem o fenômeno mediúnico e as dificuldades que envolvem o contato dos mortos com os vivos.

Você poderá dizer que Chico Xavier dedicou-se

durante décadas ao exercício dessa função, recebendo milhares de mensagens de conforto, consolo e esperança dos que se foram aos que ficaram.

É verdade!

O grande médium de Uberaba encarnou bem a figura do Consolador, prometido por Jesus. Transmitia com extrema fidelidade notícias dos "mortos" aos familiares "vivos".

E todos se identificavam pelos nomes, apelidos, situações, episódios marcantes, fatos da intimidade doméstica, as circunstâncias da morte e outros detalhes, não raro esquecidos, o que tornava aquele contato inquestionável.

Vezes sem conta o Espírito causava estranheza, referindo-se a familiares desencarnados que ninguém conhecera, que os receberam no Além. Posteriormente, o pessoal mais antigo da família confirmava a informação.

Consideremos, entretanto, que médiuns de seu naipe não se improvisam. Chico foi um Pelé da Mediunidade. Raros apresentam competência remotamente semelhante.

Normalmente os médiuns enfrentam suas próprias limitações, que os impedem de "incorporar" de forma clara e objetiva as idéias e informações transmitidas, principalmente quando envolvem datas e nomes.

Tendem a uniformizar o teor dessas mensagens, despertando a desconfiança dos consulentes, que desconhecem as dificuldades que envolvem o intercâmbio.

Isso não significa que se deva suprimir esse aspecto

consolador da Doutrina Espírita, mas que o façamos com critério.

É todo um campo a ser cultivado, mas com a disciplina sugerida em *O Livro dos Médiuns*. À medida que médiuns e dirigentes preparem-se adequadamente, haverá condições para um intercâmbio que nos permita o consolo do contato com os mortos queridos de forma produtiva e proveitosa, sem dar ensejo a histórias jocosas, do tipo "ele não atende esta mesa".

O Que se Pode Levar

No velório:
– Deixou bens?
– Sim.
– Algo significativo?
– Para ele, sim.
– O que deixou?
– Tudo o que possuía!

***

Só há uma certeza na vida – a morte.
Todos morreremos um dia.

Só há uma certeza na morte – nada levaremos.

Tudo permanecerá aqui.

Ficarão bens, propriedades, riquezas, jóias, dinheiro...

Até mesmo um mísero alfinete será confiscado na rigorosa alfândega do Além.

E também posição social, prestígio, fama, poder...

É como se fôssemos seqüestrados, sem direito, sequer, a uma peça de roupa e conduzidos para remoto continente.

Condição penosa para aqueles que não se prepararam adequadamente.

Permanecem presos às situações que vivenciaram.

Angustiam-se com seu isolamento...

Irritam-se por não lhes darem atenção os familiares...

Ficam odientos e desatinados quando presenciam a divisão dos bens entre os herdeiros, situando-os por traidores e larápios.

Vezes inúmeras nos deparamos, nas manifestações mediúnicas, com entidades vivendo esse drama.

Lembro-me de um Espírito recém-desencarnado. Não se conformava com o andamento do inventário. Considerava-se espoliado pelos familiares.

Argumentávamos, procurando apaziguá-lo:

– Meu amigo, lembre-se de que você está no mundo espiritual. Outros devem ser seus interesses, seus desejos e atividades.

– Conversa mole! É tudo meu, fruto do meu suor,

da minha dedicação! Recuso-me a ver meus patrimônios dilapidados, justamente por aqueles que deveriam preservá-los!

– Você jamais foi dono de nada. Era tudo propriedade de Deus. Apenas administrava.

– Balelas! Meus bens estão registrados em cartório! Nas escrituras não consta o nome de Deus!

Diálogo infrutífero.

A fixação de idéias em torno de nossas fraquezas, sedimentada pelo egoísmo, constitui um bloco monolítico que só o tempo aliado ao sofrimento podem quebrar.

É comum nos depararmos com Espíritos incapazes sequer de reconhecer a realidade espiritual, obcecados pelos interesses que marcaram sua passagem na carne.

Conversei, certa feita, com rico fazendeiro desencarnado, ainda envolvido com a imensa propriedade que centralizara suas atenções. Supunha que fora invadida por estranhos.

Não percebera que haviam decorrido trinta anos desde o seu falecimento, e que os filhos, após o inventário, tinham loteado a fazenda.

***

Meu caro leitor, mais cedo ou mais tarde, amanhã ou dentro de algumas décadas, *bateremos as botas,* retornando ao mundo espiritual.

Manda a prudência e o bom senso que tenhamos sempre um *pé-atrás,* isto é, que estejamos atentos, evitando surpresas desagradáveis.

Duas providências, nesse particular, devem merecer nosso empenho:

- Administrar, sem apego, o que vai ficar, reduzindo ao máximo nossa dependência.

- Investir, com empenho, no que podemos levar.

Você talvez estranhe essa última afirmativa.
Se não podemos levar nem um alfinete...
Não há contradição.

Levaremos, sim, as aquisições que, segundo Jesus *as traças não roem nem os ladrões roubam,* caracterizadas pelos valores culturais, intelectuais, morais, espirituais...

O conhecimento superior, a cultura bem orientada, as virtudes cristãs, o domínio sobre nós mesmos, a sabedoria, são patrimônios inalienáveis, que irão conosco para onde formos, constituindo-se num "mobiliário" abençoado que nos proporcionará conforto e bem-estar onde estivermos.

A propósito, há esclarecedor diálogo de um turista americano com famoso mestre egípcio que visitou na cidade do Cairo.

Ficou surpreso ao ver que o ancião morava em quarto singelo. As únicas mobílias eram uma mesa e um banco.

A partir dali houve breve e significativo diálogo:

O turista:
– Onde estão seus móveis?
O sábio:
– Onde estão os seus?
O turista:
– Estou de passagem.
O sábio:
– Eu também.

 \ Abaixo a Depressão!

BIBLIOGRAFIA DO AUTOR

01 – PARA VIVER A GRANDE MENSAGEM   1969
Crônicas e histórias.
Ênfase para o tema Mediunidade.
Editora: FEB

02 – TEMAS DE HOJE, PROBLEMAS DE SEMPRE   1973
Assuntos de atualidade.
Editora: Correio Fraterno do ABC

03 – A VOZ DO MONTE   1980
Comentários sobre "O Sermão da Montanha".
Editora: FEB

04 – ATRAVESSANDO A RUA   1985
Histórias.
Editora: IDE

05 – EM BUSCA DO HOMEM NOVO   1986
Parceria com Sérgio Lourenço e Therezinha Oliveira.
Comentários evangélicos e temas de atualidade.
Editora: EME

06 – ENDEREÇO CERTO   1987
Histórias.
Editora: IDE

07 – QUEM TEM MEDO DA MORTE?   1987
Noções sobre a morte e a vida espiritual.
Editora: CEAC

08 – A CONSTITUIÇÃO DIVINA   1988
Comentários em torno de "As Leis Morais",
3a. parte de O Livro dos Espíritos.
Editora: CEAC

09 – UMA RAZÃO PARA VIVER   1989
Iniciação espírita.
Editora: CEAC

10 – UM JEITO DE SER FELIZ   1990
Comentários em torno de
"Esperanças e Consolações",
4a. parte de O Livro dos Espíritos.
Editora: CEAC

11 – ENCONTROS E DESENCONTROS   1991
Histórias.
Editora: CEAC

12 – QUEM TEM MEDO DOS ESPÍRITOS?   1992
Comentários em torno de "Do Mundo Espírita e
dos Espíritos", 2a. parte de O Livro dos Espíritos.
Editora: CEAC

13 – A FORÇA DAS IDÉIAS   1993
Pinga-fogo literário sobre temas de atualidade.
Editora: O Clarim

14 – QUEM TEM MEDO DA OBSESSÃO?   1993
Estudo sobre influências espirituais.
Editora: CEAC

15 – VIVER EM PLENITUDE   1994

Comentários em torno de "Do Mundo Espírita e dos Espíritos", 2a. parte de O Livro dos Espíritos.
Seqüência de Quem Tem Medo dos Espíritos?
Editora: CEAC

16 – VENCENDO A MORTE E A OBSESSÃO   1994

Composto a partir dos textos de Quem Tem Medo da Morte? *e* Quem Tem Medo da Obsessão?
Editora: Pensamento

17 – TEMPO DE DESPERTAR   1995

Dissertações e histórias sobre temas de atualidade.
Editora: FEESP

18 – NÃO PISE NA BOLA   1995

Bate-papo com jovens.
Editora: O Clarim

19 – A PRESENÇA DE DEUS   1995

Comentários em torno de "Das Causas Primárias", 1a. parte de O Livro dos Espíritos.
Editora: CEAC

20 – FUGINDO DA PRISÃO   1996

Roteiro para a liberdade interior.
Editora: CEAC

21 – O VASO DE PORCELANA 1996

Romance sobre problemas existenciais, envolvendo
família, namoro, casamento, obsessão, paixões...
Editora: CEAC

22 – O CÉU AO NOSSO ALCANCE 1997

Histórias sobre "O Sermão da Montanha".
Editora: CEAC

23 – PAZ NA TERRA 1997

A vida de Jesus, do nascimento ao início do apostolado.
Editora: CEAC

24 – ESPIRITISMO, UMA NOVA ERA 1998

Iniciação Espírita.
Editora: FEB

25 – O DESTINO EM SUAS MÃOS 1998

Histórias e dissertações sobre temas
de atualidade.
Editora: CEAC

26 – LEVANTA-TE! 1999

A vida de Jesus, primeiro ano de apostolado.
Editora: CEAC

27 – LUZES NO CAMINHO 1999

Histórias da História, à luz do Espiritismo.
Editora: CEAC

35 – ABAIXO A DEPRESSÃO! 2003

Profilaxia dos estados depressivos.

Editora: CEAC

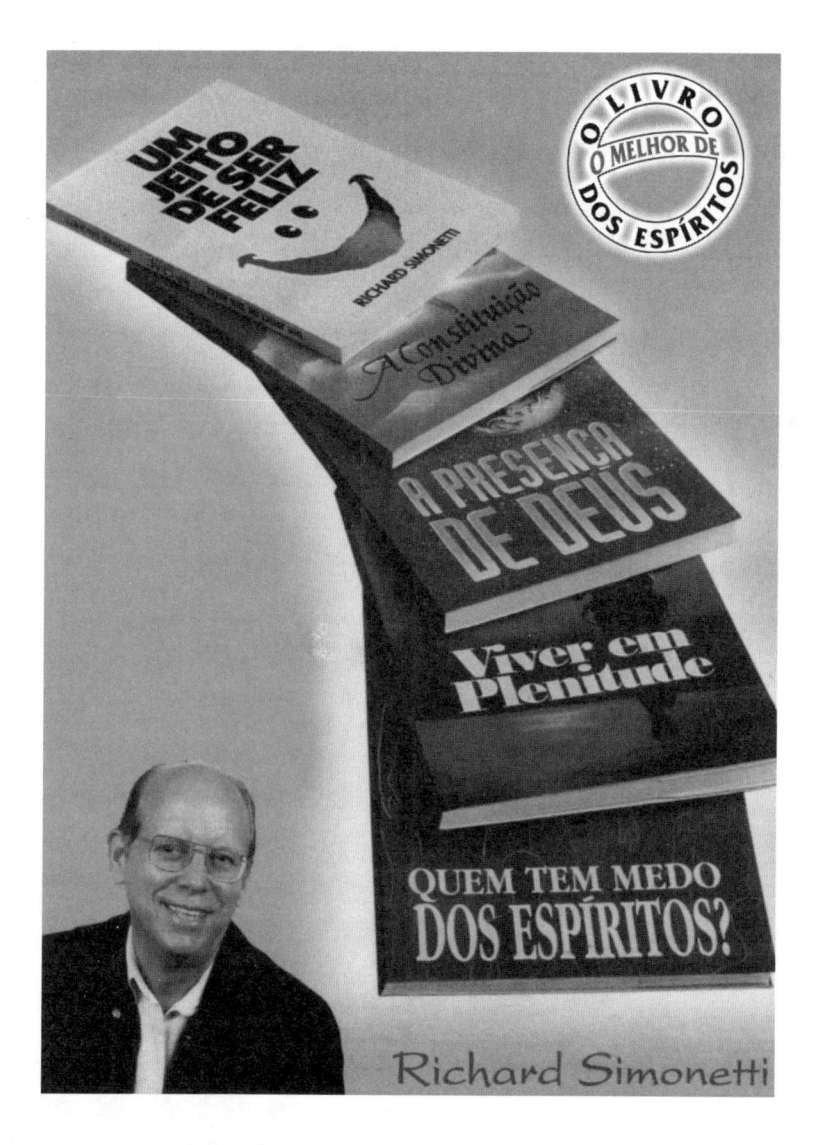

Acompanhe Richard Simonetti numa apreciação moderna e atraente das mais importantes questões de "O LIVRO DOS ESPÍRITOS".

Indispensável para Iniciantes e Iniciados

Conheça a Evangelho

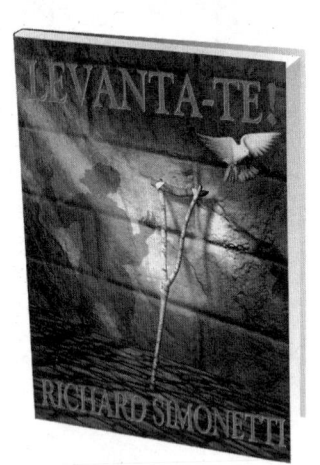

PAZ NA TERRA

RICHARD SIMONETTI

Nascimento ao início da vida pública.

Richard Simonetti descreve a luminosa trajetória de Jesus, do nascimento ao Drama do Calvário, envolvendo os episódios mais significativos de seu apostolado.

LEVANTA-TE

RICHARD SIMONETTI

Primeiro ano.

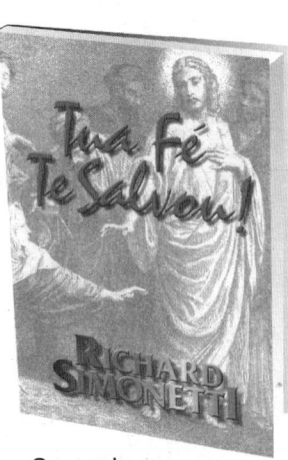

Tua Fé Te Salvou!

RICHARD SIMONETTI

Segundo ano.

érie sobre o gelho

Encante-se com a mais bela página da História! Inspire-se em Jesus, a figura maior da Humanidade!

Drama do Calvário.

Últimos tempos.

Terceiro ano.

- Existem "males encomendados"?
- A que atribuir nossas variações de humor?
- Como manter a harmonia no lar?
- O que é o passe magnético?
- Quais os caminhos para uma iniciação espiritual?
- O que são doenças cármicas?
- Como vencer o vício?

Em linguagem clara e objetiva o autor aborda importantes temas da atualidade, com exemplos e historietas que favorecem o entendimento do leitor, e sugestões oportunas para uma existência produtiva e feliz.

Partindo de situações e histórias engraçadas, oa autor aborda temas de atualidade, à luz dos princípios espíritas. Sexo, exorcismo, apocalipse, Velho Testamento, vida espiritual, reencarnação, sorte, pecado, mentira, religiosidade, Deus, filhos, medicina, guias espirituais, saúde, evolução, tranqüilizantes, morte, estereótipos, neuroses, e vários outros temas aqui desenvolvidos, ensejam duas experiências marcantes.

O sorrir e o pensar.

Como quem aprecia saboroso doce, o leitor não ficará no primeiro bocado.

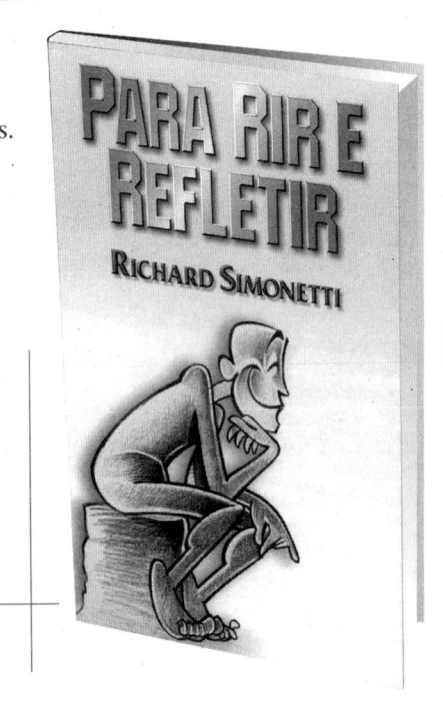